新 潮 文 庫

駅 前 旅 館

井伏鱒二著

新 潮 社 版

1450

駅前旅館

私、駅前の柊元《くきもと》旅館の番頭でございます。

名前は生野次平と申します。生れは能登《のと》の輪島在、早くから在所を離れました。六つのとき、お袋が事情あって私を東京に連れ出して、駅前の春木屋という旅館に身を寄せました。連子をして女中になったのでございます。でも、お袋は私の親父《おやじ》の後添で、私には生《な》さぬ仲の年若いお袋でしたが、本当の子のように可愛《かわい》がってくれました。

春木屋では私、小学校を出るまで女中部屋で寝起きさせられました。その間《かん》、ほかの女中さんたちも、「坊や坊や」と、玩具扱いに可愛がってくれましたが、結局のところ、ろくなことは教えてくれませんでした。学校を出ると、春木屋の走り使いを仰《おお》せつかり、十七のとき中番《なかばん》にまわされて、お袋が亡《な》くなるまで八年間、中番を勤めました。

お袋は二黒《じこく》の亥《いのしし》で底ぬけのお人よしでしたが、四十四歳の年の暮、おしつまって、急性肺炎で亡くなりました。呆気《あつけ》ないことでした。

お袋が亡くなりますと私、春木屋さんにお暇をいただいて、春木屋の番頭さんの口添で同業の籾山《もみやま》旅館の下帳場に坐《すわ》りました。それと言うのが、春木屋の若い女中とちょっとした艶聞《えんぶん》があった上に、お隣の布《ふ》団《とん》屋の娘と色事ごっこを始めまして、春木屋さんにいづらくなったからでございます。

私、籾山旅館にお世話になってから、七年目に本帳場にまわされました。それから三年ぐらいすると、もうそのころは戦争で防空壕《ごう》とか疎開《そかい》とか町内でもお互に話が喧しくなっていましたので、籾山旅館では旦那《だんな》やおかみさんが程なく伊豆《いず》へ疎開して、つづいて下帳場も広島に疎開して行きました。で、私が鰻《うなぎ》のぼりに主人代理におさまって万事取締っていましたが、例の大空襲で、忘れもしない二十年二月二十五日、大雪の日の空襲で焼けだされ、着のみ着のまま能登の輪島在に逃げて行きました。

能登には足かけ三年おりました。為《な》すこともなく暮しておりました。いわば私、餓鬼のときから旅館の寄生木《やどりぎ》になって来た人間です。百姓仕事や木樵《きこり》の仕事では、幾ら自分で思ったたって五体が言うことをききません。それに、早くから生れ在所を棄《す》てて行った人間だ。在所の人から見ると、どうせろくな者とは言われない。実際に、ろくな人間じゃあございません。春木屋さんで中番にまわされていた頃には、もう吉原《よしわら》通いを覚えていた上に、お客さんのお供で吉原へ行っても女郎の玉代の上前をはねることまで覚えておりました。

今ではもうそんなことはなくなっておりますが、以前には、お客さんによると番頭を呼んで、「どこかへ案内してくれ」と言うのがいたものでした。つまり面白いところへ、つまり吉原あたりへ連れて行ってくれということなので、「では、お供いたしましょう」と吉原へ案内して行きますが、これが、案内役の番頭たるもの、一人二役の忙しいところなんで、自分も女と遊んだふりをして、お客の払ってくれた遊びの金を、こっそりその女郎屋の帳場から貰《もら》って来るといったわけなんで。勿論《もちろん》、女郎の玉代だけは割前を払いますが、差引勘定、残金を貰って女郎と遊ばないで旅館に帰って参ります。翌朝は、早めにその女郎屋へ出かけて行って、お客さんに「昨晩はどうも、すっかりいい気分にさせていただきまして、番頭冥利《みょうり》でございます」などと何くわぬ顔で挨拶《あいさつ》して、お世辞たらたらお客のお供をして帰って来る。詐欺《さぎ》といえば詐欺なんだ。でもこんな鷹揚《おうよう》な客が、一晩に二人あったら、こちらは忙しいだろうが儲《もう》けはまた格別だと、ほくそ笑いをしたこともございました。

言ってみれば私、能登の輪島在で通用するような堅気の人間ではございません。いい年をして、亡くなった継母の生家でしょんぼり厄介になってる図と言ったら、我なから見られたものじゃあなかったな。そこで私、決心いたしました。よろしい、東京に出てやろう。東京に出たら、焼け残った上野の五重の塔に願がけをしよう。今度からは、性根を入れかえて、いかに不時の稼ぎがあったって、博打《ばくち》はうつまい、女道楽も馬券買いも思いきろう、必ず思いきるんだ。

そういう決心で、つまり私、志を立てて郷関《きょうかん》を出るといった気持で上野駅に着きますと、すぐその足で、当時バラック建築だった籾山旅館を訪ねまして、そこの旦那の口添で、建築中の柊元旅館の本帳場に納まることにさせていただきました。爾来《じらい》、今日に及んでいるわけなんです。

しかし、戦前と戦後では駅前旅館の番頭の気風も、まるで変って参りました。これは、お客の風儀が変ったので旅館の経営方針が変って来たとも申されますが、同時にまた、旅館の経営方針が変って来たからお客の風儀が変ったとも言えますすね。鐘と撞《しゅ》木《もく》のような関係でございましょうか。自然、番頭の気風も変って来るわけで、身なりまでもすっかり変りました。

昔は、立派な宿だと、若い衆はみんな半纏《はんてん》着、本帳場は必ず角帯に羽織、夏なら絽《ろ》の羽織を着たものでした。帳場は、本帳場と下帳場とあって、交代で帳場をあずかり、その下に中番というのがありました。下帳場は、宿帳とりと宿料の計算するのが主なる役目で、中番というのは関東だけで、関西にはございません。今日でも、宿屋で布団を敷きに来る男、あれが中番で、この中番があんまりちょこちょこ動くというと、お客の方でも人情としてバッタを出したい気持になって来る。したがって、女中の方へやるバッタが尠《すくな》くなる。これでは女中が嫌がることになりますね。バッタとは、番頭仲間の符牒《ふちょう》で御祝儀《ごしゅうぎ》のことを申します。

私、柊元旅館の本帳場に坐ってから足かけ九年になりますが、九年前、郷関を出るとき心に思った東照宮の五重の塔へは、まだ二度しかお詣《まい》りに参りません。万一、自分が以前のように博打をうちたくなるとか、艶福を求めたくなるとか、馬券を買いたくなるとか、煩悩《ぼんのう》の念が起ったら、そのときにお詣りしようと一日のばしにしておりました。そうする方が、五重の塔も慈愛の目で私を見ていて下さると思っておりました。お詣りに行って誓ってから、あとで煩悶《はんもん》が起きたりすると、もう取りつく島がないようだ。つまり、煩悩の念が起るのを自分で警戒していたわけで、考えようによってはまた、煩悩の念が起るのを好奇の気持というやつで待っているようなものなんだ。ところが一昨年の四月、桜が散ってから、ある日のお昼すぎ、私が五重の塔の軒下に立って祈願こめるような風をしておりますと、同業の春木屋の番頭に見つかって、とうとう泥を吐かされるという次第になりました。

一昨年の四月上旬、冬の背広の上衣では汗ばむような日がございました。その日、私は長野の同業者からの電報を受取ったので、お客様を出迎えに駅の改札口のところに立っておりますと、三十前後の男が「君、ちょっと」と言って私に目くばせします。一見、かけ出しの刑事だとわかりました。こちらはお客を迎えに出て、いまに汽車が着くという場合でございますから、気が気ではない。

「いま、汽車が着くところですから、ちょっとお待ち願います。用事があるんでしたら、あとで、どこへでも参ります」

そう申しますと、

「あとで来るとは何だ。聞きたいことがあるんだ」

腕ずくでも連れて行く気勢を見せますんで、私、とっ組みあいになって旅館の名前が新聞にでも出たら、一家の不名誉でもあるし、女中たちにも睨《にら》みがきかなくなると思って、言われるままについて行って取調べに応じました。

相手は、私の挙動に疑わしいところがあると言うのだね。私が頻《しき》りに改札口の上の時計を見ていたくせに、田舎出らしい婆《ばあ》さんに何か聞かれると、わざと忙しげに出札口のところまで連れて行った。そしてまた、改札口のところへ駈《か》けつけた。その行動が怪しいと申します。

今でもそうですが、そのころも出札口のあたりには、人が財布を落すのを待ち受けて、それを靴で踏みつけて頑として足を動かさず、大いにすごんで財布を巻きあげるのがいたものです。刑事の言うには、婆さんを周章《あわ》てさせるようにするために、わざと忙しげに出札口のところへ連れてって、わざと忙しげに改札口へ駈けつけた。相棒があるだろう。白状しろと、こうなんだ。

それで私、遠来の客を迎えに来たものだと説明して、

「これが証拠品です」

と、上衣のポケットに入れてた電報を見せますと、その電文で更に誤解を招きました。

「ソハヤマタオ一メ三イマノタ」という電文でございます。これは私たち業者の間で通用する符牒の文句です。戦前には駅頭に出るほどの刑事なら、新米でもたいてい心得ていた符牒だが、戦後は疑いをかけられる怪文書に見えるんだ。私は刑事に、柊元旅館へ電話で確かめてもらった上、電文の説明をして、やっと放免されましたが、もうそのときには長野のお客が柊元旅館に着いた後でした。

電文の「ソハ」というのは、長野県の名物がソバだから、ソバというのが長野県のことで、それをソハと略して、出来るだけ電文を簡単にするための符牒なんで、「ヤ

マタ」はヤマダ、「オ一」は殿方御一名様、「メ三」は御婦人御三名様、「イマノタ」は、いま汽車に乗ったということなんだ。

こんなような電報は、以前、警察で客引をやかましく取締っていた時代には、駅へお客を出迎えに行く宿屋の番頭には大事な証拠品でした。たとえば、「コチサイトオ三メハチ」という電文なら、新潟の斎藤様が殿方御三名と御婦人八名様で御上京になるということで、「コチ」は越後《えちご》を逆さにしてゴエチをゴイチと訛《なま》り、それを詰めて「コチ」と言うわけなんだ。こんなような電報を懐中にして、駅でお客の出て来るのを待ってると、男三人と女八人の一団の下車客がある。すぐこちらは駈け寄って、「越後の斎藤様でいらっしゃいますね。あちらから連絡がございまして、お待ち申しておりました。さあどうぞ」と言うことになりますと、「ああ、よくわかったな。よく迎えに出てくれた」と感心されて、バッタにあずかるわけなんでございます。また、客引を咎《とが》める刑事につかまっても、電文の符牒を知ってるんだから、「それなら仕様がねえ」と、笑ってすませてくれる。でも、今では地方の旅館からの通告は、たいてい電話ですませるようになりまして、符牒で電報なんかよこすのは、よほど古式を守る宿屋さんの一徹な番頭でございます。こんな旅館に限って、地方の大きな町なんかでは、意外にも必ず有力な後援者がついているのでございます。

ところで、ソハヤマタの山田さんを出迎え損ねた私が帰って来て、「キャラ着いたか」と下帳に聞きますと、「着きました。ガマ連れだから、梅の間に通しておきました」と申します。

宿帳で見ると、山田さんは東京にも別宅を持っている長野県の工場主、連れの三人の婦人は、みんな住所が甲府市内で、職業は邦楽家、すなわち芸者なんでございます。山田さんという客は、甲府から芸者連れで長野にまわって東京に出て来たものと見える。芸者のうちの一人は、下帳の話だと、「おそろしくハグイ玉だ」ということでした。

キャラとはお客のこと、ガマ連れとは女連れ、ハグイ玉は美人のことでございます。但《ただ》し関西では、ガマ連れをネコ連れと申します。

ついでに私どもの符牒を申しますと、お客に金のありそうな場合はケタフカイ、金の無いものはケタハイ、またはオケラ。一人客はピンコロ、酒を飲むはドジをひく、食事をするのかどうかは、ハクはいいのか、またはハクは出るのかい。座敷はシキザ、宿料はケタ、料金の安いことはケタオチ、またはケタハイ。御祝儀を貰ったかは、バッタがわかったか。そのほかまだいろいろございますが、要するに的屋《てきや》の符牒と違って、酒場や料理屋などに行ってこの符牒を使ったって意味も通じない。また、心配ごとのある姐《ねえ》さんがたに、頼もしがられるようなこともございません。

そこで、長野の山田さんという客の泊った夜のことだ。夜なかの一時ごろ、中番が風呂《ふろ》をお仕舞にする前に、私がお湯につかって半ば居眠りをしておりますと、いきなりどやどやとお客がはいって参りました。男の客が一人、女の客が三人、みんな相当に酒に酔っている。

「おい、熱いお湯につかっちゃ毒だよ」

男の客がシャワーのところへ行って、

「おい、みんなここに集って、シャワーを浴びろ。ぬるま湯のシャワーだから、大丈夫だ。みんな集れ、おい於菊《おきく》、花竜」

男の客は、ちょうど彫刻美術で言う群像のように、シャワーの降り来るなかに三人の女を搔《か》き寄せて、

「おい於菊、頭の毛が濡《ぬ》れたってかまわんよ。もっと、くっつけ、くっつけ。この滝は、京都の音羽の滝のようなもんだ。京都の芸者は、音羽の滝に打たれるから色が白いんだ」

と、出放題のことを言っておりました。

三人の女は、頭の毛が濡れるのもかまわず、男を三方から取囲んで、京都へ連れて

行ってくれとせがんだりしていましたが、ふと女の一人が、群像から抜け出して風呂のなかに飛びこむと、いきなり私の二の腕を抓《つね》りました。

「おや、何だこのガマ」

でも、声には出さないで振向くと、どこで見たか覚えのない女でした。裸になった女というものは、年恰好《かっこう》もよくわかりません。

「おい於菊、酔っぱらってて、熱い湯は毒なんだよ。のぼせるよ、ここへおいで」

群像の方の男は呼ぶのですが、

「大丈夫よ、ぬるま湯なんだもの」

於菊という女はお湯のなかで、またもや私の腕を抓って、

「でも、やっぱり熱いわ。どうせ、あたいは熱いの」

と、謎《なぞ》のようなことを言い残して、お湯から出て行きました。

私はお湯につかったまま目を閉じて、いまの女は俺より幾つぐらい年若いだろうと、背中や肩の恰好、耳の恰好、顔つきなどを思い浮かべ、はて誰だったろう、いや人違いしてやがるんだ、と考えておりました。でも、人違いされたんだとすれば業腹《ごうはら》だから、私はお湯からさっと出て、ろくに体も拭《ふ》かないで、湯あがりを着て帳場に帰りました。

私、裸の女に腕を抓られたのはそのとき初めてなんで、まして況《いわ》んや「どうせ、あたいは熱いの」なんて、気を持たせるようなことを言われると、満更でもない気持した。人違いされたとすれば、しかし、悪意があってのことでもあるまいし、腹を立てるにも当らない。全くハグイたまであった。私は二の腕をまくって、抓られた跡が、もっとはっきり赤くなっていればいいと思ったりしたことでした。

私、この年をして、やっぱり好色家という部類なんでございます。中番《なかばん》を呼んで、それとなく持ちかけて、山田さんというお客のことを喋《しゃべ》らせました。中番が宿帳をとるときには、山田さんは自分の万年筆で書いた。連れの女の名前や年齢を書くときには、いちいち女に言わせながら山田さんが書いた。バッタは女中にはヤリ（千円）であった。中番にはノーエン（五百円）であった。布団《ふとん》は四つ窮屈に並べて敷いた。その程度のことがわかりました。

いずれにしても、長野の宿屋から紹介してよこした客だから、中番にノーエンぐらいよこすのは当り前だ。宿帳には、山田さんは年は四十二歳となっている。この年をして、お風呂のシャワーの下に女を集めて軽々しくはしゃいでいた。

「ガマ連れのキャラで、あんまり快活なのは、心中するおそれがあるからな、気をつけなくっちゃいけねえ。塞《ふさ》いでるやつは、きっと三角関係だ」

中番にそう言って、私はその日に中番の取った一日ぶんの客の所書きを集めて自分の部屋にさがりました。実は、山田さんの書いた宿帳の筆跡を見て、どのくらい人間が出来ているか筆跡で鑑定してやろうと思ったのです。連れの女が私を抓ったので、すこし私は逆上《のぼ》せ加減になって、もう山田さんに焼餅《やきもち》やく気になっていたのだね。

でも、筆跡鑑定なんて私に出来るものではない。じっと山田さんの筆跡を見ておりますと、ともすれば裸の女の肩や耳朶《みみたぼ》が目にちらつきます。筆跡鑑定では、私の若いころ木島金吉といって練達な男がいましたが、これは四十年も宿屋の番頭をやって来た人で、宿帳を一め見て、これは嘘《うそ》の住所、これは変名だということをすぐ見やぶった。職業の記入の嘘もすぐ見やぶったね。あるとき、堂々たる風采《ふうさい》の泊り客を一文なしだと見やぶって断ったので、交番に訴えられ、結局、その紳士は一文もない財布を巡査の前で明けさせられた話もありました。

私は筆跡鑑定はへたくそですが、家の前を通る人を見て、これは泊る客か泊らない客かの区別はつけられます。泊る客は何となく元気がない。淋《さび》しい感じがつきまとう。それと反対に、足どりに元気のある人や、若い男女で手をつなぎあって歩いているようなのは、絶対にと言っていいくらい泊らない。お客が金を持っているかいないかは、往年の木島金吉にはおよばないにしても、長年の勘で私にもわかります。宿料を値切るような客は、却《かえ》って金持だと見て間違いございません。

さて、お風呂で私を抓った女の話でございますが、その翌朝、この女は廊下で女中を呼びとめて、

「お風呂で抓った女が、帳場の番頭さんによろしく。そう言ってたと言っといてね」

そんなことづけして、女中に百円札を三枚握らせたということでした。

私は前の晩に寝苦しくって、夜あけ近くなってウイスキーを飲んで眠ったんで、女が山田さんたちと一緒に発《た》ってしまってから目をさましたのです。あとで、女中から女のことづけを聞かされたわけで、しかし、そのとき何だかキナくさいような気がしました。私の若いころの馴染《なじみ》女で、キナくさい気がするのは心臓が焦《こ》げているからだと言ったのがいましたので、ふとそれを思い出して心臓に手を当てたことでした。まさか動悸《どうき》をうつなんてような手応《ごた》えは致しませんでした。でも何だか可笑《おか》しなものでございました。

これが煩悩《ぼんのう》だと思いました。そこで、郷関《きょうかん》を出るときの誓にしたがって、東照宮の五重の塔の軒下に参りました。そうして、手を合せて拝む恰好しながら、自然の道理で裸の女の肩や耳朶など思い出しておりますと、いきなり私の肩を叩《たた》くものがありました。見れば、春木屋の番頭だ。

「殊勝げに見えるぜ、何を発心《ほっしん》したんだ」

春木屋の番頭は、今にも噴き出しそうな顔で私を見て、事実、ぷっと噴き出したね。

「うん、わかった。白昼に祈願するからは、深夜に犯した罪業のためとわかった。白状しな。どうせ喋りたくって、たまらねえ話だろう。今度の慰安会の当番は、おめえだぜ」

そんなことを言って、私に白状させてしまいました。

でも、白状すると言ったって、こっちとしては悪くない気持だね。女に抓られた一件を、事こまかに仕種《しぐさ》を入れて喋ってやりました。抓った女が女中にことづけして行ったことも、甚だ熱烈だったと思われるように喋ってやって、

「無論、今度の慰安会は俺が受持った」

と、当番役を引受けました。

慰安会というのは、私どもの同業で仲のいい番頭が五人で旅行に出る会ですが、面倒な当番役をお互に嫌がるので、五人のうち誰か浮気したやつが引受ける規約でございます。春と秋と二回の予定になっておりますが、よくしたもので、五人のうち誰かが浮気をするので当番には事を欠きません。一年二回の旅行を欠かさず今日に至りました。私は女にただ抓られたにすぎなくても、浮気したことにされるのが自分の気持

にぴったりしているようで満足でございました。

「いいかね、お湯のなかで女がおめえを抓って、このくらいはまだ浮気でないでしょうかと、おめえに聞いたとする。するとおめえ、何と答えるね。そんなの、まだ浮気じゃねえと言うだろう。男って欲が深いからな。ところが、おめえの女がお湯のなかで、よその男を抓ったとする。おめえ、かんかんに怒るにきまってる。共に人情というやつだ。とにかく、旅先で話の種さえあれば十分だ。今度は、修善寺あたりはどうだろう」

春木屋の番頭はそう言って、さっそく会員に日取を問いあわせることにしてくれました。

この慰安旅行は、すべて幹事が宰領することになっておりまして、行先と泊る旅館は必ず幹事が案内を心得ているところ。旅先で一座に呼んだ芸者から会員の誰かが好感を持たれても、幹事はにやにや笑っているべきこと。勘定のとき足が出たら幹事が引受けること。もし旅先で急病人が出たら幾ら愉快なときでも早々に引揚げること。病人を看護しながら帰ること。先《ま》ず、お互に言わず語らずのうちに、そんな規約になってるんで、だから幹事は、自分で気の置けない馴染の旅館を物色しなくっちゃならないわけですね。

それで私、行先を甲州は湯の町、甲府の湯村温泉ときめまして、そこの常盤《ときわ》という旅館の番頭に電報を打ちました。御承知の通り、今では東京から甲府まで電話は造作なく通じますが、どうも在来の式でやらないと、旅に出る感じが出ないんでね。

「イクノホカダチ四アスユクヤヘタム」

そういう電報を打っておきました。

「イクノ」は生野次平のイクノ、つまり私のこと。「ホカダチ四」は、そのほか友達四名という意味なんでございます。

湯村温泉の常盤というのは大きな構えの温泉宿で、一昼夜に四千石の温泉が噴き出しております。戦後、私、柊元《くきもと》旅館の番頭におさまってから二年目に、走り痔《じ》という病気になりまして、半月ほどその旅館へ出養生に行ってましたんで、そこのジュコさんという女中をよく存じております。と言っても私が勝手につけた渾名《あだな》でして、つまり私たち業者間の符牒《ふちょう》で、たとえば部屋はヤヘ、布団はトンフ、女中はチュウジョというように、逆さに言ったり略したりで、ジュコはコジュケイ（小寿鶏）を逆さにして略したんでございます。

私が常盤旅館で痔の養生をしていたときのことでございますが、ある朝、お湯からあがって窓際《ぎわ》に立っておりますと、裏庭の橡《とち》の木の下に小寿鶏が三羽も四羽も遊んでいる。

「おや、あそこにコジュケイがいるよ。あんなところへ遊びに来てやがる」

そう申しますと、お茶をついでいた女中が、

「どこにコジキがおりますか」

と、窓際に立って来たので、

「コジキじゃない、コジュケイだ。鳥だよ」

と言って、二人で大笑い致しました。これがきっかけで、その女中と気安く口をきくようになりました。渾名もジュコさんとつけました。本当の名前は存じません。

小寿鶏は東京では俗称をチョイトコイと申しますが、ジュコさんはこの鳥の名前をまだ知らなかったと言っておりました。常盤旅館の裏庭には広々とした芝生があって、庭の隅の池から遣水《やりみず》が流れる式になっており、池のほとりの植込のなかに相当の数の小寿鶏が隠れているようです。ある日、さっと夕立が来て物凄《すご》く雷が鳴る前に、植込のなかから、ばたばたとたくさん小寿鶏が飛び立って、みんな裏山の方に逃げて行きました。ジュコさんの言うことに、あの裏山には、元亀《げんき》天正の昔の頃、武田《たけだ》信玄の造

った烽火台《のろしだい》の設備があったそうで、この山を左手に見て谷間へはいって行くと、すなわち昇仙峡でございます。

　慰安旅行の顔ぶれは、春木屋の番頭と私のほかに、水無瀬《みなせ》ホテルの番頭、房総屋の番頭、杉田屋の番頭の五人、お互にわいわい連をきめこんで、新宿駅から三等の切符で二等車に乗りました。水無瀬ホテルの高沢なんていう番頭は、年じゅう諏訪《すわ》湖畔や河口湖畔へ団体客を引きに出かけるんで、中央線なら列車の車掌の受持区域をすっかり知っている。どの列車には誰が乗っているか心得ている。車掌が検札に来ても、

「やあ、こんちは」で事がすむ。

　尤《もっと》も、この高沢という番頭は妙な癖のやつで、駅の改札口を出るとき切符を持っていても、それを駅員に渡さないで来て独りで喜んでいる。その切符を他で役に立てるわけでもなし、古切符を収集する癖があるでもない。宿へ着いてから女中に見せびらかして、それを女中の前で引き裂いて見せるだけなんだ。この男は、他にもまだ妙な癖がある。自分の持ってる銭を、人の知らない間に石崖《いしがけ》の穴かどこかに隠しておいて、

「おや、ここに銭があった。こいつで一ぱい飲もう」と言って人に御馳走《ごちそう》する癖がある。とかく人の意表に出てみたい癖の男だね。

　いったい私どもの同業者は、よそに出かけるときでも普通の人と変った身なりをす

る習慣だ。湯村温泉へ行くときにも、高沢なんてやつは、弁慶格子《ごうし》のニッカーボッカに玉虫色の背広を着ておりました。まるで羽織を裏返しに着たような風情《ふぜい》だね。春木屋の番頭は、筒袖《そで》に仕立てた紺無地の結城《ゆうき》に、縮緬《ちりめん》の総しぼりの兵児《へこ》帯をしめ、フランネルの裏をつけた富士絹の股引《ももひき》をはき、みょうが屋の白足袋に、はせ川の駒下駄《こまげた》をはいていた。こいつは、足袋のこはぜが象牙《ぞうげ》だと自慢していたが、甲高十二文半だから、みょうが屋の職人も型を取るのにずいぶん苦心したことでございましょう。杉田屋の番頭は、半ズボンに短靴をはきジャンパーを着て、折鞄《かばん》を持ち、一見、請負師のような恰好《かっこう》をしておりました。私はまた、万一のときのことを考えて、旦那《だんな》然と見えるように普通の背広にボストンバッグを持って、肩にカメラをかけておりました。湯村へ着いたら、例の「ソハヤマタ」の山田さんが連れて来た甲府芸者を呼ぼうと思っていたのです。湯村温泉へ行く案を立てたのも、お湯のなかで私を抓《つね》った芸者のことが意中にあったんで、もしその芸者と一緒に散歩するようなことに立ち至ると、こちらも旦那然としていなくっちゃあ相手も感じが出ないだろうという寸法でした。

しかし、私ども同勢五人、身なりと言い挙動と言いどう見たってまともな人間とは見えません。汽車が八王子に停ると、英語をべらべら喋《しゃべ》る中年の外人と、綺麗《きれい》な白いドレスを着た妙齢の日本婦人が、秘書と見える日本人の女を連れて私どもの座席に割り込みました。それで私ども五人で占領していた八人ぶんの席が、ちょうどいっぱいに塞《ふさ》がって、ほかに空いている席も無くなりました。秘書みたいな女は、私どもを軽《けい》蔑《べつ》の目で見て何やら外人に申しますが、残念なる哉《かな》、こちらは外国語は一向にわからない。ほかに空席がないので立つことも叶《かな》わねえ。外人も車内を見まわしていたが、空席がないので諦《あきら》めたか秘書みたいな女に何やら言うと、その女がまた外人の御機嫌を伺うような顔つきで何やらぺらぺら喋る。また一わたり私どもに軽蔑の目を向ける。

「こりゃ、やりきれねえ」

房総屋の番頭が、そういったような目つきで仲間を見まわすと、ニッカーボッカの水無瀬ホテルの番頭が、

「ときに親分、早川上流のダム工事のことなんだがね」

と、筒袖の結城紬《つむぎ》を着た春木屋の番頭に、いかにも心配そうな顔で話しかけたもんだ。

「ねえ親分、早川は富士川の支流と言ったって、あの川は実に奥行きが深い。俺は、先月の出張調査で審《つぶ》さに見て来たが、去年の山崩れのあとを見ても、物凄い洪水だったことがわかるんだ。設計課の課長に、もちっと慎重に設計やりなおすように命令してもらいたいね。俺は心配でならねえ。もし間違ったら、親分の損害は金高から言っ

ても、二億や三億のことではないからね」

こいつ、また何を言い出したか、出まかせ言うやつだと、私は噴きだすところを押しかくして、

「そうだ親分。それも心配だが、今度の工事で心配なのは、現場における人夫の件だ。この前の天竜川の工事のときだって、親分の親愛主義は末端の人夫たちに徹底しなかったからね。争議がなかったのは、実に奇跡であったね」

私も真剣な顔つきに見せなくっちゃいけないんで、歯をくいしばって笑いをこらえまして、膝頭《ひざがしら》で春木屋の番頭の膝を小突いてやって、

「ねえ、親分、今度は、容易な現場じゃないんだからね」

そう言ってやるてえと、

「いや、人夫の件なら、お前らに心配させるまでもない。万事は俺に任しておけ。俺は専《もっぱ》ら平和主義だ。しかし、この上にまだ不逞《ふてい》な輩《やから》がのさばると、こっぱい微塵《みじん》に叩きつけるんだ。それが俺の性分だ。お前たち、まあ一生懸命にやってくれ、お国のためでもあるからな」

春木屋の番頭は大きく出て、ふと取って付けたように、

「自分の国を馬鹿《ばか》にしちゃいかん。亡《ほろ》びる国もあれば、また蘇《よみがえ》る国もある」

と、気障《きざ》なこと吐《ぬ》かすんだ。

ところが、これにはちょっと反応がございました。外人の秘書みたいな女は、春木屋の番頭の顔をじっと見てましたが、次に外人の顔をちらりと見て目を伏せました。それが与瀬《よせ》のトンネルをくぐる前のことで、やがて汽車がトンネルを出て行くと、高沢のやつ、外人の連れの女に聞えよがしに、

「人夫の件は、それは先ずそれとして、やはり親分、問題は設計の件だね。あの設計課長の花岡君は、俺と大学時代の同期なんだがね、企画第一主義の派手な性分で、新企画だ新企画だと先へ先へ走る悪い癖がある。ところが、派手な企画をするだけで、そいつが企画通りに行かねえと、手落ちは現場で働く者の責任にする。そうしておいて、自分は知らぬ顔でもう次の新企画をやってる。これじゃあ、現場で働く労務関係者はやりきれねえ。俺は親分に告げ口するわけじゃあねえが、親分だってそうは思わねえかね」

「うん、たしかに設計課長にはその傾向がある。しかし、今度の工事は大工事だからな。お前らも、真の腕だめしのつもりで取りかかってくれ。ダム工事とは言ったって、結局はお国のためだ。お前らは、お互に自分のことを、亡国の民と諦めてはいかん。自分の国を馬鹿にしてはいかん。同胞を馬鹿にしてはいかん」

もうそれ以上のことを言わしては散々ですから、春木屋の番頭が独りごとのように、

「スメがネキだよ。サマバも、そろそろネキだ。俺は寝る」

と言って着物の裾《すそ》をまくり、富士絹の股引を丸出しで座席にかしこまって目を閉じました。

「スメ」は娘、「ネキ」は御機嫌が悪い、「サマバ」は婆《ばあ》さんという意味なんで、外人の連れの妙齢の女は、美人ではないが真に娘さんのような若々しい顔でした。この女性は英語が全然わからないと見えまして、初めから終りまで口をきかないで、つんとして雑誌を読み耽《ふけ》るような風をしておりました。秘書みたいな女の方は、婆さんと言ってもまだ四十にはならないと思われる年頃ですが、こちこちに瘦《や》せて色が黒いのに厚化粧して、ボンネットなんか被《かぶ》ってるんで却《かえ》って年寄のように見えました。

外人は茶色の背広を着ておりました。この三人は、与瀬のトンネルをすぎて上野原あたりからはもう黙りこんで、大月の駅に着くと互に何か符牒のようなことを手短かに言って降りて行きました。それと入れ代りに二人の中年者が乗り込んで、汽車が動きだすと、鞄のなかから折りたたみ式の将棋盤を出して勝負をはじめました。二人とも相当な棋力ですが、へぼ将棋の高沢と房総屋の番頭が傍から助言の口を出して、わざと煩《うる》さがられるように仕向け、その一局が終ると、「どうぞ、あなたがたでお使い

下さい」と相手に言わせせましたです。それはこちらの思う壺《つぼ》だ。私どもはその将棋盤を借りてリーグ戦というのをやりまして、甲府まで結構退屈しないですみました。お行儀の悪いやつばかりなんでございます。

甲府の駅に着くと、改札口のところに常盤《ときわ》旅館の例の女中が薄化粧なんかして人待ち顔に立っておりました。

「おや、ジュコさん」

私はジュコさんのところに駈《か》け寄って、いや、この女中は誰か他の客を待っていると気がついたんですが、まあいいだろう、つきあってもらおうという気を起して、鞄をジュコさんに渡し、自動車の助手台にその女中を乗せて常盤旅館に着きました。このくらい図々《ずうずう》しくしなくっちゃあ、一同、刺戟《しげき》が欲しい空気を見せてるんで、幹事たる者、気疲れして困ります。いわば相場師が場に出ていないとき、勝負ごとをして気を引き立てているようなものでございます。

さて、旅館に着いてからの私の胸のうちは、千々《ちぢ》に物こそ思う哉というやつなんだ。まるで思いがけないことでございました。宿に着くまでの私の企画を申しますと、第一に温泉を浴びたら、将棋を指しながらお膳《ぜん》が並ぶのを待つ。酒は熱くしてくれと卓上電話でジュコさんに注文する。そろそろ酒がまわったところで、甲府の芸者を何人か呼ぶ。お湯のなかで私を抓った於菊という芸者も呼ぶ。あとは、どうなるかわからねえ。他の連中も、言わず語らずのうちにそれと心得ている。大体そういったような見つもりでしたが、やがて一同ほろ酔いになったところでジュコさんに芸者を言うと、於菊という妓《こ》は甲府若松町の花柳界からもう足を洗って、長野か松本か、ともかく信州の方へ行ってしまったと言うんでございます。

「いつのことなんだ、それは」

ジュコさんに聞くと、

「ちょっとお待ち下さいませ。お聞きして参りますから」

と立って行って、ずいぶん待たせてから、

「お名ざしの妓は、先月あたり、信州の長野へ行ったそうでございます」

と言う。

私は散々みんなに冷やかされました。

「それ見ろ、南無《なむ》三《さん》大明神、一躍、ケタオチだ」

と高沢のやつが言う。

「この慰安旅行、長野まで延長するかね。その妓を、草の根を分けても捜すかね」

と春木屋の番頭が、面白半分に出来もしないことを言う。

「しかし、まだ見ぬ恋というんじゃねえからな。思い偲《しの》びながら飲むんだな」

と房総屋の番頭が言う。

私は正直、胸のなかが酸《す》っぱくなっているような気持でした。従来、ついぞ味わったことのない気持でした。胸のなかに、いきなり鼻茸《はなたけ》か何かのようなものが出来て、そいつは椎茸《しいたけ》か初茸のような恰好のもので、頻《しき》りに酸っぱい花粉を散らしてやがるんじゃあねえだろうか。いや、松露《しょうろ》のようなもんじゃあねえだろうか。いつか人に聞いた話に、近頃は肺病を手術するのに丸い玉を肺臓に入れるということだが、そんな工合に我が胸のうちには松露みたいなものが出来たんじゃあねえだろうか。そう思ったり、そんな馬鹿なことはねえだろうと思ったり、とつおいつ、年甲斐《がい》もなく、胸のなかの松露を持てあます思い。まことにこの傷心たるや様《さま》あねえ。そうだ、俺はあの女に熱々《あつあつ》だったんだなあと、自分でもよくわかりました。

その席に芸者を四人呼んでおりました。みんな来る早々、我々を百姓《もく》あつかいに致しまして、縮らし髪の妓が「甲府セレナーデ」という唄《うた》と「ねんどオタカやん」という唄をうたいました。オタカやんという女は釜無川《かまなしがわ》流域の実在人物だったということで、この唄は川堤を泥土で築くときの労働歌であったと芸者が説明してくれました。この唄の次に房総屋の番頭の所望で、洗い髪の妓が「霞《かすみ》のころも衣紋坂《えもんざか》」という唄をうたって、房総屋の番頭がその唄につれて踊りました。これは例の蜀山人《しょくさんじん》作の歌詞だということで、昔なら殿様方のやる踊なんでございますが、房総屋の番頭は以前よく吉原の引手茶屋へ大尽客を案内しておりましたので、見よう見真似《まね》で覚えたんだと申します。この男は酒席で芸者を見るたんび、どうしてもこの踊を一つやらないことには納まりがつかねえやつなんで、これさえ踊らしたらもう盛会だったと満足するといった非道《ひど》いやつでございます。

芸事はそれで打ちきって、後はわいわいと言うばかりの酒にしましたが、無論、長野へ鞍替《くらがえ》したという女のことも話題に出て、私が肴《さかな》にされました。すると、ふと思い出す一つの事がございました。すっかり忘れていたのに、ふとした拍子で思い出したのでございます。つまり、度忘《どわす》れの反対だね。戦争になる前に、私どもケタふかく、吉原のクニケによく出かけていたころの話でございます。

クニケとは馴染《なじみ》の店のことですが、そのころ或《あ》る日のこと、たまには変った遊びをやらかそうというので、趣向をこらした身なりで吉原の然《しか》るべき引手茶屋に行ったものでございます。従来、引手茶屋に行ったのは、私、お客のお供を仰《おお》せつかったときだけでございますが、その日は小金もあるし雪の降った後のいい気持のときでもあったので、初めての店に威勢よく入りまして、女中の応待で二階の座敷に通されました。

ところが、階下《した》に降りて引返して来た女中が、

「あいにく今日は、どの部屋も先約がございまして、まことに申しかねますが、今日のところは、旦那様《だんなさま》、ひとつお引きとり下さいませ」と改まった口上で断るので、いろいろ談じたが埒《らち》があかねえ。するてえと、そこへ十六七ぐらいの若い女中が酒をつけて来て、お盆には熨斗袋《のしぶくろ》まで添えてある。

客を断りながら熨斗袋を出すなんて、何が何やらわからねえ。あべこべの、あべこべだね。全く腑《ふ》に落ちねえ。こんなときには、さっと立って来るに限るんだ。

そこで、その家は出たものの、どうも癪《しゃく》に障《さわ》って仕方がねえから、二三軒おいて隣の一軒に入って行くと、また同じように慇懃《いんぎん》無礼の手で断られた。私は顔を逆に撫《な》でられたような不快な気分でした。どうしても、ぶらぶら歩きするだけでは気のまぎれようもない。とうとう馴染の店にあがって行った。この家の遣手婆《やりてばばあ》の話で漸《ようや》くわかったことなんだが、実は最初にあがった引手茶屋の番頭が、私のあとをつけて来て、同業のよしみで私の寄る店の裏口から先回りして、私を危険な男だと注意させたのだね。

事情を聞けば尤《もっと》も至極な次第なんで、遣手婆の話を聞いているうちに、私は擽《くすぐ》ったい気持になりました。実は、最初に行った引手茶屋の若旦那が、その数日前に玉の井の射的場でコルク鉄砲を撃っていると、その店の女の子がインチキしたと文句をつけ

たので喧嘩《けんか》口論になって、若旦那がその辺の地回りにぶん擲《なぐ》られた。その地回りは苦味ばしったいい男であった。いかにも遊び馴れた男のようであった。それが私に大変よく似ているんで、それと間違えられたというのでした。私が引手茶屋の階段を元気よくあがるとき、若旦那が帳場からちらりと見て、因縁をつけに来たものと思ったというのです。

馴染の店の遣手婆は、私のあとをつけて来た引手茶屋の番頭に、いや、あの人は上野駅前の籾山《もみやま》旅館の立派な支配人で大した旦那さんだ。うちへもお客を連れて来てくれる大変なお得意さんで、玉の井の地回りだなんて人違いだ。そう言ってくれたとのことで、引手茶屋の番頭は大急ぎで若旦那のところへ注進に走ってからまた引返し、遣手婆を通して私へ詫《わ》びを入れ、「そう言えば、玉の井の地回りよりも、少し背が高いように思われた。若旦那がそう申される。人違いとは言え、大変な失礼を致しました。それなら、手前どもの店へもお客を紹介していただきたいので、失礼ながらお馴染にしていただきたい。いずれ改めてお詫びを入れに伺います」と伝言して行ったと申します。

その翌日、引手茶屋の番頭が一升持って、籾山旅館の私のところへお詫びに参りました。さすがは吉原の然るべき引手茶屋の番頭で、折目ただしい口をききました。さっぱりした初老の男でした。どこに置いても、ちゃんと納まりのつきそうな男でした。戦後、この引手茶屋はどうなりましたことか、私どもの方は戦前と違いまして、引手茶屋へ案内しろと言うお客に有りつくこともなくなって、今日の吉原のことは一向に存じません。

戦前には、宿屋の番頭は割合に恵まれておりました。今日と違って、女中や風呂《ふろ》番や下足番は、食事でもお客の食べ残しを充《あ》てがわれていましたが、番頭だけは特別の待遇で、飲みたいと言えば昼酒でも充てがわれ、給金やお客から貰《もら》うバッタで結構安楽なものでした。だから、ふとした嬉《うれ》しがらせにも誘われるわけなんで、遊び馴れてるとか、いい男っぷりだなんて引手茶屋の番頭に言われると、ついその方面に足の向くのが当り前だね。行かなくっちゃ仁義に反《そむ》くなんていう言いぐさもある。先《ま》ず、そういったような次第でございまして、引手茶屋の番頭が詫びに来てから三日目か四日目に、私、極めて素人《しろうと》風に対《つい》の薩摩《さつま》がすりに道行を着て、その引手茶屋へ遊びに参りました。

さあ、上へ下への大款待《だいかんたい》でございました。でも私、芸者を二人に幇間《たいこもち》を一人だけ呼んで極めて地味な遊びをして、ぼろの出ないうちに帰ろうと致しますと、階下で誰か大きな声を出しているのが聞えて来た。そこへ勘定書を持って来た女中に聞くと、お客さんのプラチナの懐中時計が無くなったので、この家の十七になる豆女中が疑いをかけられて、あの騒ぎだという。大きな声が階段の下から筒抜けだ。

「ポケットに入れて、このインバネスを、あの小さい女中に手渡した。それから約四時間たった。その四時間、僕は外套《がいとう》を女中に預かってもらっていたのと同じことだ。僕が時計をポケットに入れるとき、あの女中、そばにかしこまっていた。ちゃんと見ていた筈《はず》だ」

その声は愚痴っぽくて歯切れはよくないが、声の様子で察するに、学問のある人らしい。律義《りちぎ》なところもある人のように思われました。

私、そういう見当で階段を降りて行きますと、番頭や女中や芸者が板敷のところにかしこまっている。大声を出す客は、襟に毛皮のついたインバネスを着て、階段の下に突っ立っている。その連れの客は、オーバーを着て土間に立っている。二人とも相当に酔ってる風で、インバネスの客は同じ愚痴を繰返してたが、下駄《げた》をはく拍子に、どすんと式台に尻餅《しりもち》ついた。同時に、何か固い物が式台に触れる音がした。そのとき私も下駄をはこうとしていたので、

「お客さん、失礼でございますが、インバネスの裾《すそ》に手を触らしていただけませんでしょうか。何やら音が致しました。ちょいと失礼」

そう断《ことわ》って、尻餅ついているお客のインバネスの裾を探るてえと、羅紗《らしゃ》と繻子《しゅす》で合せ袋になっている裾に時計のはいっている手触りがある。ポケットの底が破れていたのに違いない。

「やっぱりマンジュウだ」

私が番頭仲間の符牒《ふちょう》で言ったので、この家の番頭が手をついて私にお辞儀して見せました。でも私、そのまま帰って来る方が気がきいてると思ったので、

「よかったな。疑いがはれて何よりだ」

と豆女中に言い残して帰りました。ちょっと芝居がかっているようで、今では思い出して照れくさいような気が致します。

その翌日でしたか翌々日でしたか、その引手茶屋の番頭がまた一升さげてお礼に来て、豆女中からもお礼の電話をかけてよこしました。舌たらずの泣き声で真剣に礼を言うのだが、こちらは照れくさくって対等の相槌《あいづち》が打てないので、

「そうかそうか、ではお前さんの、旦那さんによろしく」

と冗談を言って電話を切りました。

それから数日して、豆女中からお礼の手紙が参りました。それが長い長い手紙で、是非とも一度おいで下さいと書いてあったんで、私、折を見て出かけて行きました。

しかし、相手は子供のことだから別に話があるわけでもない。お湯のなかで私を抓《つね》ったのは、往年のその豆女中だとわかりました。私、とんと忘れておりました。

実は私、ジュコさんの耳たぼを見ているうちに思い出したんでございます。お風呂で私を抓った女の耳たぼが、ジュコさんの耳たぼと恰好《かっこう》がそっくりだ。それからまた、吉原の引手茶屋にいた例の豆女中の耳たぼにそっくりだ。それで思い当ったのでございます。

ジュコさんの耳たぼは、ふんわりとした非常に良い恰好で、その耳に似つかわしい上品な言いぐさで申しますと、ほのぼのとした感じ、匂《にお》うがごとき良い恰好とでも申しますか。間近くその耳を見ているてえと全く悪い気がしない。性根のよくねえ男なら、ひそかに如何《いか》なる料簡を起すやらわからねえ。

「あの耳たぼだ。あのジュコさんの耳たぼで思い出したんだ。お湯で俺を抓った女は、もと吉原の引手茶屋にいた豆女中だ。さっきからあの耳を見てるうちに、やっと思い出した。あんな塩梅《あんばい》の耳だ」

隣に坐《すわ》っていた房総屋の番頭に、私が耳打ちで申しますと、

「うん、なるほど。あの恰好の耳たぼなら、悪くねえ。しかし、耳で古馴染を思い出すたあ、おめえも相当の極道者だ。おいジュコさん、こいつのために祝盃《しゅくはい》だ。ここへ来て、改めてお酌を願います」

とジュコさんを傍に坐らせて、房総屋の番頭は一座のものにこう申すんでございます。

「おい、東西々々、みんな聞いたか。おい、聞かなかったやつは、後学のために聞いておけ、俺が口上を述べるからな。こいつ、柊元《くきもと》旅館の生野次平は、ジュコさんの耳たぶの恰好をつくづく見て、かねて捜し求めてた女の前身に思い当ったと吐《ぬ》かすんだ。しかし、万事そう来なくっちゃいけねえ。これで慰安旅行の意義があった。この常盤《ときわ》旅館に来た意義があった。もしジュコさんの耳に巡りあわすことなかりせば、こいつ生野次平なる者は、終生そのあこがれの女性の名前さえ思い出せなかったかもわからねえ。先ずは祝意を表するために、みなさんお手を拝借。ジュコさんもお手を拝借。はい、どうぞ」

そこで一同「おめでとう」と言って、芸者たちも一緒にシャンシャンシャンと手をしめました。ジュコさんも一緒に手をしめました。

俄然《がぜん》、一座は陽気になって来て、高沢なんていうやつは、ジュコさんと房総屋の番頭の間に割りこんで、ジュコさんに酌をさせ、

「俺は人相学に通じてるんだ。なるほど、ジュコさんの耳は悪くねえ。耳たぶというものは、これでなくっちゃいけねえ。俺がみんなに説明してやるからな」

と、ジュコさんの耳たぼに指先を当てまして、

「人相学で言うならば、これを輪《りん》と言う。これを郭《かく》と言う。この通り、輪と郭が、しなやかに伸び伸びとしてなくっちゃあ、いけないんである。これは流年《りゅうねん》といって、運命を示したものである。次に、これは俗に言う耳穴、人相学では風門と言う。次に、これを耳弦と言い、この膨らみを垂珠《すいじゅ》と言う。垂珠は、この通り、肉つきが素直に豊かなるものにおきましては、財運と健康運に恵まれる暗示を持ってると申します。また、このくびれ目の、この深い曲線は、女性の場合、肉体の或る一部を暗示する」

ジュコさんは擽ったそうに目を閉じて肩をすくめていましたが、高沢が馬鹿《ばか》なことを言うもんだから、

「あら、もう駄目ですわ。くすぐったいんですもの」

と、両の耳たぼを手でおさえました。それでも高沢はおっかぶせて、

「いや、ちょっと待った。人相学について俺の蘊蓄《うんちく》たるや喉《のど》まで閊《つか》えてるんだ。しか

るに、ジュコさんが羞《は》ずかしがって耳を隠すのも無理はねえ。近頃の女性は、イヤリングの直結というお飾りでもって、耳のこのくびれ目のところを隠してるのがある。つまり、エデンの園のイチジュクの葉だね。悪の園生《そのお》なる、ストリッパーのバタフライだね」

こんな非道いことを言うもんだから、さすがにジュコさんも座をはずして行きました。

その夜は芸者を帰してから、春木屋の番頭の言い出しで、春木屋と房総屋と杉田屋の番頭が甲府の穴切町《あなきりまち》という花柳界へ沈没に行きました。私も一緒に出かけようとしましたが、縁起かつぎの高沢が、

「俺は厄年だから遠慮する。俺は厄の年に発展するてえと、ろくなことがねえ。今日はおとなしく寝る」

がらにもなく殊勝なことを言ったので、それで私は幹事のことでもあるし、私も厄年だから高沢につきあって宿に残りました。

もう夜の十時をすぎていましたが、春の観光季節のことでした。大広間では、団体客が演芸会を開いて賑《にぎ》やかにやっている。中庭の温泉プールには、クロール競争をやっている浴客がある。庭を歩きまわりながら、抒情歌《じょじょうか》というのを合唱している二人づ

れがある。

「とても眠れそうにねえ、厄年はつらい」

と私が申しますと、

「おめえ、ジュコさんという女中と、もすこし飲みてえんじゃねえか。それなら俺は、座をはずしてやるよ。全く、あの耳は大したもんだ」

と高沢が真顔になって見せるので、「こいつ例によって、人の意表に出ているよ。厄年もないもんだ」と私の方で気をきかし、

「俺は、ちょっとそこの湯村地蔵へ、厄除札《やくよけふだ》を頂きに行って来るからな、おめえのも頂いて来てやろう。観光シーズンだから、地蔵様もまだ起きてるだろう」

と、ドテラに宿の半纏《はんてん》を羽織り、お賽銭《さいせん》は帯にねじこんで、ジュコさんに「部屋で一人しょんぼりしてる野郎に、酒を持ってってやってくれ」と頼んでおきました。

湯村地蔵というのは、常盤旅館から二町か三町のところにある地蔵堂で、年一回の祭日には遠近の人が黒山のようにお詣《まい》りに詰めかけて、境内は狭いし参詣者《さんけいしゃ》が目白押しに石段を登るんで、こちらは足を宙に浮かせていてもお堂の前に詣《もう》でることが出来るといった塩梅だ。参詣の厄年の者は、自分の年の数だけ団子をお供えするのが本式だ。団子を持って行かないものは、お賽銭を出して厄除札を頂戴《ちょうだい》する。それが非常に

霊験《れいげん》あらたかな御札なんだということで、よほど以前もう二十年もの昔、私は常盤旅館の梅吉という中番《なかばん》に連れられてお詣りしたことがございます。そのころ、この温泉場はまだ村落に毛の生えたほどの有様で、芸者の置屋なんかも小さな長屋みたいなものでした。置屋の庭さきで若い芸者が菜園を耕している図も見かけました。でも野良《のら》をすると言ったって、何しろ当時の芸者のことだから髪は高島田に結っている。それがネギ畑で鍬《くわ》を振りおろすたんび、島田がぐらぐらっと揺れるんで、私、見ていて気が気でない思いをした覚えがございます。そのころと較《くら》べると、湯村温泉場の今日の発展ぶりは大したもの。実に隔世の感がいたします。

地蔵様の御堂は折から改築中で、庫裡《くり》も戸が締まっていましたが、

「こちらは常盤旅館の客ですが、厄除札を頂かせて下さいませんか。二枚、頂きたいんです。ついでに、五枚ほど頂きたいんです」

そう申しますと、やがて戸の隙間《すきま》から紙に包んだ御守札を五つ出してくれました。私、せっかくのことだもんで、本堂の前に行って、

「お風呂《ふろ》で私を抓った女に逢《あ》えますように。その女と、もと引手茶屋にいた豆女中が、同じ女でありますように」

と、人が見ていないのを幸いに本気でお祈りいたしました。それから、石段の降り

口へ横倒しに生えている太い松の幹の下をくぐって、薄暗がりの石段を降りて来ましたが、ふとそのとき、豆女中の本名は於菊《おきく》というのであったことも思い出しました。石段はまだ昼間の温気《うんき》を残していて、そこだけ空気が温く、何だか擽《くすぐ》ったいようなその温気が、豆女中の本名を思い出させてくれたんだと思ったことでした。

そこで宿に帰って見るてえと、高沢の野郎、ジュコさんに酌をされながら薄ぎたねえ顔で飲んでやがるんで、私、惻隠《そくいん》の情を催しまして、

「お前さんに、厄払いの御守札を買って来てやったよ。これを肌身につけた上で、連中のあとを追って穴切町へ行くことだな。お前さんが行くなら、俺も出かけるよ」

と御守札を一つやりますと、高沢は私に盃《さかずき》を差して、

「有難え。俺は今しも、女難よけのお札が欲しかったところなんだ。ジュコさんの耳を見ているてえと、その感慨たるや切実の至りだな。ついては、ジュコさんは当地における風教上から言って、耳にイヤリングを着ける必要がある。イヤリングには直結というやつと、ブラというやつと二つあるが、ジュコさんには、耳のくびれ目を隠すために直結というやつを着けてもらいてえ」

またしてもそんな馬鹿なことを言いながら、それでも慣れた手つきで御守札を恭々《うやうや》しく押し戴《いただ》き、いつも肌身につけている大型の御守袋のなかに納めました。

私は御守袋を持たないので、包み紙をつけたまま背広のポケットに入れておきました。この御守札の正体は、金色の紙でくるんだ長さ一寸五分ほどの短冊型の堅紙で、表に「厄除地蔵尊御守」と印刷され、裏の文字は「甲斐国塩沢寺」となっておりました。二十年前に私の頂いた湯村地蔵の御守札は、長さ五寸ほどの長方形の紙ぎれで、地蔵様のお立ちになっている姿を木版ずりにしてありまして、それが慈愛に充《み》ちた地蔵顔の絵姿でございました。勿体《もったい》ないことながら、昔の御守札の方にずっと有難味があったように存じます。

私、高沢の言うままに穴切町に行くのは止《よ》しにして、ジュコさんのお酌で飲みながら、信州長野へ行った女のことをジュコさんの口から聞き出そうとしましたが、この女中、しっかりもんで、口が固いのか本当に知らないのか、知らぬ存ぜぬの一点ばりでございました。もしかしたら、信州長野に行った女が乱行芸者と見られていたので話を避けていると思われる節もあったので、つい私、女を庇《かば》う気を起して豆女中の頃の女の行状を喋《しゃべ》ることになってしまいました。

於菊という豆女中のいた引手茶屋は、いま仮に屋号を三巴屋《みつどもえ》と呼んでおきますが、何しろ戦前のことなんで、昔風にずらっと天水桶《おけ》を家の前に積みあげてありました。この家では、特に古風にやっておりまして、お正月なんか門松を立てるのに松飾りの正面を外に向けないで、内側に向けて立てるといった式でございました。三味線唄《うた》に、「花の江戸町、京町や、背中あわせの松飾り――」という文句がございますが、昔の吉原では家ごとに松飾りを内側に向けて立てるんで、筋向うの家の門松と背中あわせになっていたんだそうでございます。三巴屋ではそんなことまで古式を守っておりまして、お座敷のなかの飾りでも掛字《かけじ》でも、何だか知らないが曰《いわ》く因縁ありげなものばかり。それがまた通人やお大尽客には、しっとりとして気分に適《かな》ったものでございましたでしょう。

私、この三巴屋にはたびたび参りました。豆女中の於菊が頻《しき》りに電話をかけてよこすんで、私ひとりで遊びに行ったほかに、鶴山さんというお大尽のお客を一度御案内いたしました。そのほかにも、庄内《しょうない》の豪農というお客さんを一度、それから九州に炭鉱をお持ちの田様《たアさま》というお客さんを一度案内いたしました。ほかにもまだ、いろいろございますが、いずれも旅中の徒然《つれづれ》から、どこか面白いところへ案内しろと仰有《おっしゃ》るんで御案内するわけなんで、そこは宿屋の番頭冥利《みょうり》、自分を好いてくれている女中のいる茶屋へ案内するのが人情だね。また一つには、どうせ遊び好きで金持のお客だ、こちらの水の向けかた一つで茶屋から遊廓《なか》に繰込むのがわかっている。その際、こちらの意を察して、こちらの好きな妓《こ》のいる店へ繰込むように、うまく口を合わしてくれる女中がいなくっちゃあ都合が悪い。於菊は私を好いているんだから、そんなとき私がお客のお供で遊廓へ遊びに行けるように言葉上手に奨励してくれたものでした。それは実に献身的なものでしたね。

私が三巴屋へ案内したお客のうち、炭鉱主の田様というお客さんには、私、一ぱい食わされました。このお客は気まぐれ屋というのか、何か知らないが、芸者や幇間のいる前では至って金ばなれがよくていらっしゃる。年は五十前後、さぞかし若いときは艶福家《えんぷくか》であったろうと思われるような顔だちで、酔うにつれて次第に目が潤《うる》んでくる。その点はすこしく艶《なま》めかしい。

その上、炭鉱主だから世間を広く見ているので話題もたくさん持っている。酒も強いし人に飲ませるのも手に入っている。私も可なり飲まされたんで、拙いながらも鰌《どじょう》すくいを一つ踊ってから、階下へ下りて電話で遊廓の馴染《なじみ》の妓に電話をかけたりして、三巴屋の帳場で思いがけなく長ばなしをしてから二階のお座敷に引返しました。すると、一座の様子が変っている。芸者や幇間が、しんとして田様の前に坐っている。於菊も首をうなだれて、年増《としま》の女中のそばにかしこまっている。田様は小切手に署名

していましたが、指環《ゆびわ》の判を捺《お》すと私の方を見て、

「番頭さんに折入ってお願いがある」

と物やわらかな調子で申される。小切手なんか書いているんだから、こちらは何か担《かつ》がれるんじゃないかとびくびくだ。

「田様、何でございましょう。隠し芸の御所望でございますか」

薄氷を踏む思いで伺うと、

「遊びごとの話じゃない。一つ御苦労だろうが番頭さん、北海道へ行って来てくれないか。お前なら大丈夫、弁も立つから掛合ごとも上手だろう。これは旅費だ」

そう言って、めくり取った小切手を一枚と、田様の名刺に書いた紹介状を一枚、芸者の手から渡してよこしました。私、まだ何のことやらわからなくって、田様が万年筆や小切手帳など印伝《いんでん》の合切袋《がっさいぶくろ》に入れる手許《てもと》を見ておりました。

「ほんとに、於菊さんの兄さんが帰ったら、於菊さんも安心だわ。ねえお師匠さん、於菊さんひとりぼっちですものねえ」

と、年増芸者が幇間と頷《うなず》き合って見せるんで、やっと私は担がれているのではないと思いました。小切手の額面は、三等車で北海道に五往復できるほどの数字になっている。名刺には「――小生の年来の腹心、生野次平君を御紹介仕《つかまつ》り候《そうろう》。生野君の申

出は即《すなわ》ち小生の申出に御座候……」と書いてある。宛名《あてな》は味山田殿となっている。この味山田という人は、たこ部屋の親方だということでした。

田様は於菊に云《い》いつけて私に酌をさせ、北海道行きの用件を私に話して聞かせました。それを傍から幇間や年増の女中が敷衍《ふえん》してくれるんで、これは一座の不図した話題から、この行きがかりになったことがわかりました。私が階下で油を売ってる間に、お座敷では田様が於菊の身の上を年増女中から聞きとって、於菊の実兄が北海道のたこ部屋で苦労していることまで知ったわけなんだ。察するに、田様は於菊の身の上を誰かに根掘り葉掘り聞いたんだ。

私、田様が於菊に興味を持ったんじゃないかと疑いました。於菊の前で小切手を書いて見せたのも、於菊の歓心を買うためではないかと疑いました。ひょっとしたら小切手は、不渡りではないだろうかと疑いました。だから不渡りなら、北海道行きの約束をして実行しなくたって、あとで誰も文句のつけようがない。そういう腹で田様に、

「それでは私、お名ざしでございますから、北海道へ出かけます。勇んで参ります」

と、田様の義俠《ぎきょう》に感激したように申しますと、

「どうも御苦労。お前さんのような心意気の人でなくっちゃ、こんな役は引受けてもらえない。有難う。しかしお前さん、於菊少女を、もっと喜ばしてやる方がいいよ」

田様が万事を呑《の》みこんだような口をきいたので、私、ぎくりとして返答にまごつきますと、

「然《しか》り然り、義を見てせざるは勇なきなり。いでや我等も、お供で蝦夷《えぞ》松前《まつまえ》に渡らんかね。しかし蝦夷に渡るのは、二枚目の義経《よしつね》公、弁慶は置いてけぼり」

と幇間が、混ぜ返しでその場をつくろってくれました。

「味山田という男には、以前、あたしは樺太《からふと》で逢ったことがある。最近も、二三年前に博多で逢っている。現在、北海道で鉄道工事をしている味山田のたこ部屋と聞けば、道庁の土木関係の役人ならすぐわかる筈《はず》だ。では番頭さん、ここの勘定、女中さんにそう言っておくれ」

と田様は、帰りがけの啣《くわ》え煙草《たばこ》をして、

「あたしは、明日の朝の汽車で平《たいら》へ発《た》つが、今日は寄り道する用事があるから、先に帰ります。お前さん、今晩のところは於菊少女とよく打ちあわしたらいいだろう。於菊少女も、いろいろと兄貴《あにき》さんに、ことづけなんかあるだろうから」

と、帰り支度にとりかかるんで、「いえ、私も御一緒に」と申しますと、

「あら、今晩も花千代さんのところへ、おさだまりなんでしょう」

と豆女中が、私のそばに立って来たもんで、私の馴染女郎の名前が露見してしまい

ました。

田様は私に「よろしくやるがいい」といった風に座を立って、

「番頭さん、あたしは十二時までに宿に帰ります。ぶらぶら歩きで帰ります」

そう言いながら、廊下に出て行くので、私、そのあとを追って階段を降りて行きました。田様は年増女中に勘定を渡して出て行くので、何か別に御趣向があるんじゃないかと私は察しをつけて、於菊と一緒に二階の座敷に引返しました。すると、この引手茶屋の番頭が、さきほどからの顚末《てんまつ》を年増女中から聞かされたと申しまして、お盆に熨斗袋《のしぶくろ》を載せて私の前へ挨拶《あいさつ》に参りました。それから、年増女中が熱燗《あつかん》の徳利を持って来る。番頭が私にお酌をする。そういった工合に私をもてなして、番頭は、「手前ども、於菊の兄の身の上につきましては、かねて頭を痛めておりました。しかし、おかげさまで助かります。遠路のところ、まことに御苦労さまでございます。では、どうかごゆっくり」とお辞儀して、それを汐《しお》に年増女中と共に引きさがりました。

あとは、私と於菊と二人きりだ。さきほど飲み食いした残肴《ざんこう》がそのままで、於菊はそれを取りかたづけようとするでもない。ただ、私のそばに来てお銚子《ちょうし》を持ってうつむいてるだけ。だが、盃を出すと注いでくれる。こちらは間の悪い思いだから、私、こう言ってやったね。

「お前さんところの番頭や女中、いやに気をきかした風して見せるんだね。いったい、あの人たち俺を信用してるつもりかね」

於菊のやつ、こっくりをして、こう申します。

「あのときからです。あのときに見つからなかった時計、見つけて下さったときからです。まるで手妻《てづま》みたいでした」

「だが俺は、どうせろくな人間じゃあねえ。言っとくが、お前なんかも俺を信用したら、とんでもない大損することになるんだ。それでもお前、俺を信用するのかね」

すると於菊のやつ、忙しく息を吸いこんで、またこっくりして見せるんだ。これでもう、私ども二人の語らいは簡単に一段落ついたわけなんだが、何しろ相手は背丈だけが一人前で顔はまだ子供みたい。いくら見なおしても子供みたいだね。

「お前、ほんとの年、幾つだね。正直、言ってごらん」と申しますと、

「あたし、一白《いっぱく》の十七です。一白の者は、三碧《さんぺき》の人と相性が吉《きち》なんですって。それから、三碧の人は、一白の者と大吉なんですって、旦那《だんな》は三碧でしたわね」

「ややっこしいこと知ってるよ。お前、神宮館の暦か何かで調べたろう」

「あたし、うちの番頭さんに調べて頂きました。姐《ねえ》さんにも調べてもらいました。相性というのは、気休めじゃないんですってね」

私、このときのことは、糸をたぐるように記憶をたどることが出来るんでございます。田様から小切手をお預りしていましたせいか、また北海道へ使者にたつ決心していたせいか、とにかく気が張ってた夜のことなんで脳味噌《みそ》に万事よく染《し》みこんだのでございますね。そのとき、於菊が私にどんな素振を見せたことか、事こまかに覚えておるんでございます。尤《もっと》も、男女の濡《ぬ》れ場としては何の見るべきものもございません。相手は子供同然の豆女中、私も極道者の常として、素人《しろうと》女や女中には、ちょっかいを出さないたちなんで、於菊の初心《しょしん》な振舞には放任主義でもって対処することにしておりました。

一般に人間、どの道にかけても器用と不器用の差がございますが、於菊は花柳界に育った女として、男にかしずく技が零に近いほど不器用でございました。まるでこの女、骨法を知らねえといった組なんだ。ところが於菊のやつ、ふと気がついたように、

「あら、ここに綿毛が」

と言って、そっと私の肩に手を伸ばしまして、優にやさしい手つきで塵を取る真似《まね》をして見せました。そう致しまして、ほっとしたように私を見て、嬉《うれ》しそうに首をうなだれるんでございます。

なるほど、こんなに内気で、こんなに不器用な女には、そんなことでも嬉しいんで

ございましょう。私、漸《ようや》くそれと気がついたんで、於菊がお銚子を取りに立った隙《すき》に、もう一度私の肩を触るきっかけをつくってやる工夫をめぐらしました。しかし、果して私の肩に綿毛がついていたかどうか。ついていなかったかもわからない。では次に、綿毛をつけておいてやる必要がある。もし、さっき綿毛がついていたとすれば、私が田様の前で鰌すくいを踊ったとき、笊《ざる》の代りにした座布団《ざぶとん》の綿がついたのだ。私、そう思って座布団の綻《ほころび》をさがしました。ところが引手茶屋の真新しい緞子《どんす》の座布団だから綻なんか見つからない。で、即座の思案で早いところ自分の着物の裾《すそ》にほころびをこしらえて、そこから抜きとった裾綿を袖《そで》のなかに入れました。こうしておけば、幾らでも綿毛を小出しに出来るんだ。大人げない話でございますが、私、煙草をふかしながら袂《たもと》から綿毛を取出して、肩さきに一つ、眉毛《まゆげ》に一つ、着けました。そこへ於菊がお銚子を持って引返して来た。そうすると、私の胸が意外にも動悸《どうき》をうちだしたのには驚きました。私としては、色恋でなくって、遊戯か冗談みたいなつもりですが、なるほど、こんな胸のときめきは、火遊びの面白さの一つなんだな。いや、これが火遊びの面白さの本領じゃあねえだろうか。

於菊はすぐ綿毛に気がついて、

「あら、白いもの、付いておりますわ、お取りします」

と、塗りたての化粧クリームの匂《にお》う手で、私の眉の綿毛を取りまして、その次に、

「おや、ここにも白いもの」

と私の肩の綿毛を取って、

「何でしょう、この白いもの。あら、綿毛ですわ、真綿の。やっぱし綿毛ですわ」

と怪訝《けげん》そうに、自分自身へ言って聞かせるような口をききました。

私の胸の動悸は、いつともなしに消えておりました。それで、もう一度綿毛を着けて見せてやろうかと思ったんですが、いやいや罪だ。俺のけれんがばれたら、却《かえ》って於菊に恥をかかせるんだ。そう思って止《よ》しました。私、大体の推量で、於菊が初《はつ》に肩の塵を取る真似をしたときには、ほんとは綿毛なんか付いてなかったんだと見当つけました。

その晩、私は田様より先に帰ってなくてはいけないので、今度また来る約束して帰りました。於菊の話では、当時たこ部屋にいた兄貴は四五年前に大阪へ行って、二三年前には京都の料理屋へ奉公していたということでした。しかし、いつそれがたこ部屋へ放り込まれたかわからない。たった一度、誰だか知れぬ人が函館局の消印のある葉書をよこして、兄貴は味山田という親方の監獄部屋にいるのだが、我々が脱走を勧めても尻込《しりご》みしたと知らせてくれたということでした。この兄貴のほかには、於菊は

身寄が一人もないと言っておりました。

翌日の朝、私は田様とその鞄《かばん》持ちの秘書を上野駅へお見送りして、その足で現金を受取りに神田の銀行に行きましたが、銀行の窓口で小切手を突返されました。窓口の野郎、当店ではこの名前の人と取引がないと吐《ぬ》かすのだから、万事休すだね。いい年して私、酒宴の座興を真に受けて、一ぱい食わされたわけなんでございます。それで急いで引返しまして、

「さっき、俺が駅へ見送った二人客《ふりまえ》、宿賃《けた》、はっきりすんでたのかえ。尤も、帳場に祝儀《ばった》はわかったよ」

と下帳に聞きますと、

「ケタ、すみました。はっきりすみました。女中《ちゅうじょ》にバッタも、わかりました。大バッタで、わかった客《きゃら》でした」

そう申しますものですから、「なるほどね。すると、昨日の晩だけ悪戯《すかねき》だな。大きな大ネキモンだ」と、あいた口も塞《ふさ》がらなかったな。でも、呆《あき》れるだけでは事はすまないので、その日は夕方から私のところの御主人におひまをいただいて、於菊に事情を知らせかたがた三巴屋《みつどもえ》の客になりました。

先《ま》ず私、座敷におさまると、お銚子を持って来た於菊に不渡小切手を見せ、

「銀行のやつら、昨日のお客の田様との間に、取引ねえと吐かすんだ。だから、こいつは不渡小切手だ。まさか昨日の晩、みんなして、お前も一緒に俺を担《かつ》いだんじゃねえだろうな。北海道行きの筋書を仕組んだのは、俺のお前に惚《ほ》れっぷりを試すつもりじゃなかったのかえ。あのとき、俺は熨斗袋なんか貰《もら》って、ここの番頭さんの前にも、ざまあねえ。なあ、その通りだろう」

そう言ってやると、於菊は早くも涙ぐんで、

「担ぐなんて。あたしが、でも試すなんて」

と袂で顔を包んでしまいました。

そこへ年増《としま》の女中が顔を出したので、この女中には穏かに話してやった。それから不渡小切手は、あとで私が現金にするんだと思われては拙《まず》いんで、「破くかね、昨日のお客さんに返すかね」と聞くと、

「破きましょうよ。ねえ於菊さん、破いても宜《よろ》しいわね」

と言ったので、私はこなごなに引裂いてやった。

「まさか姐さんも、昨日の晩、お客さんとぐるになってたんじゃあねえだろうな。俺の担がれること、知ってたんじゃなかったのか」

於菊との割振りでそう言いますと、そこは年増女中のことだから、

「そんな嫌がらせ仰有《おつしや》ったって、あたしは於菊さんみたいに、しおらしく泣けませんわ。でも、泣く身になってごらんなさいよ、ほんとにねえ、幾ら何だって。あたしは泣く代りに、怒る」

と口をとがらせ、睨《にら》むような真似をして、からからっと笑って見せました。

私もそれに釣りこまれて、「では、箱の達者な妓《こ》を呼んでくれ。あっさり飲んで、いつものケンヤに繰込むからな」と、自分の気持に景気をつけました。それでもまだ、昨晩みんなに担がれたんじゃないかという疑いが、しこりのように残っていますから何となく欝々《うつうつ》として面白くねえ。で、またしても於菊に嫌がらせを言ってやりました。

「泣かして悪かったよ。だが、言っとくがね、お前の兄者人《あにじやひと》が北海道から帰ったら、たこ部屋の苦労、詳しく聞かしてもらいたい。丈夫で帰って来るのを祈っているよ」

そう言ってやると、もう泣き止《や》んでいた於菊は、放心しているように僅《わず》かに頷《うなず》いて見せるだけでございました。

ところで、話は変り月日も変りますが、私が引手茶屋へ足を運ばなくなってから三年ぐらいたったころ、あるとき於菊が電話をかけてよこしました。実は私、不渡小切手を破いた日を最後にして、於菊が如何《いか》に電話をかけてよこしても、お前までぐるになって俺を担いだんじゃねえかとの一点張。あくまで意地を張っているうちに、去る者は日に疎《うと》し、於菊のところに全く足を遠ざけておりました。一度は、年増女中が使者で奥さん風に化けて呼出しに来ましたが、忙しいからと言って婉曲《えんきょく》に断ると、それから二三日して於菊から、何も書かない便箋《びんせん》に縫物針を刺したのを手紙に封じてよこしました。あぶり出しじゃねえだろうかと、火鉢で炙《あぶ》ってみたが、何の文字も出ないんだ。それを最後に手紙もよこさず電話もかけてよこさなくなっていたが、今度は久しぶりの声だから、「何か事件でもあったのか」と聞くと、「今日、あたしの兄さんが、召集で帰って来ました。いつかのお話に、もし帰って来たら、たこ部屋の話を聞くんだと仰有ってらっしゃいましたから」と言う。「そうかい帰って来たのか。よかったね。いつ入隊だ」と聞くと、明日の朝だと言う。しかし折からの満員客で天手古舞の最中だ。「では、たこ部屋の話なんか、どうでもいい。兄さんの武運長久を祈るよ。そう言っておくれ。お前さんも気をつけてね」と言って電話をきりました。

　そこで、また話は変り月日は変りますが、於菊の兄貴は召集されて南方の戦地に行ってから、北海道のたこ部屋のことを詳しく書いた手紙を私によこしました。すかし入りの上質紙の便箋に、小さな字で七枚も八枚も書いてありましたですが、何のためにわざわざ戦地から書き送ったか、その理由は書いてございませんでした。もしかしたら、入隊するとき私のことで於菊に愚痴を聞かされたので、戦地で何かのついでに思い出して書いたのかもしれなかったと思われます。その兄者人なる者の軍隊での肩書は、日本軍のシンガポール宣伝班に所属する炊事兵となっておりました。だから長い手紙を書く暇もあったんでございましょう。その筆意の発するところ、律儀《りちぎ》のせいか意地ずくか、いずれにしても気性が於菊に似て一途《いちず》か強情か、そのどちらかなんだろうと思います。

あれからもう十何年の歳月が流れ、私、於菊のことも兄者人のこともすっかり忘れておりました。いわゆる忘却の彼方《かなた》の事というやつなんで、そいつを思い出す糸口が、旅行さきで見た常盤《ときわ》旅館のジュコさんの恰好《かっこう》のいい耳たぶで見つかったんでございます。

慰安旅行から帰って来ると、私の留守に長野の於菊から電話をかけてよこしたと下帳が申します。もと三巴屋にいた於菊と言ってくれたらわかると言ったと申します。

「それで、どんな用件だ。先方は何と言った。東京に出て来ているのか、長野から電話してよこしたのか」

たたみかけて聞きますと、来月の第三土曜日の晩、年頃の婦人ばかり三十七人の客を引率して行くと言ったとのことなんで、それでは於菊のやつ、もう長野で三十何人もの芸者の頭に立つようになったかと、いささか感に堪えないものがありました。しかし中番《なかばん》の記入している控帳を見ると、長野県Ｏ町、山田紡績という工場の寮生の一団だとわかりました。寮の女工を引率して来る女性なら、必ずや寮長にきまっている。お座敷芸者が工場の寮長におさまったなんて、一度もまだ話に聞いたことがない。

「ひょっとしたら、この申込み、スカネキかも知れねえな」

そう思って私が傷心しておりますと、下帳が長野県便覧と分県地図の長野県全図を参照して、その団体客についての予備知識を私に言って聞かせました。

Ｏ町は、信州松本を通過して白馬岳、乗鞍岳《のりくらだけ》へのぼる登山客の通いなれた道筋にある。その町のすぐ北にある青木湖、木崎湖から流れて来る川が、町の南の方で高瀬川と合している。これは犀川《さいがわ》の上流だ。この町は殆《ほとん》ど工場の町と言って差支えない。大工場、分工場、町工場など、いろいろさまざまな工場がある。なかでも紡績工場が最も多い。

いつも私ども、分県地図や便覧に目を通すのは、初めての団体客を受入れるときの常例なんでございます。食物についての嗜好《しこう》などに於《お》きましても、関西《にしまえ》と東北《おくすけ》では大いに違いまして、関西は薄味、東北は辛味、魚類におきましても、生ぐさ物なら、山形県の団体客などには箸《はし》もつけないのがございます。わさびとかフライなど、東北の学生団体のうちには薄気味わるがるのもございます。私どものように、こうして諸国の学生さんの団体を泊めておりますと、各地の人気風儀などにつきましても、その悪さというようなものを見せつけられている思いが致します。

待ちに待ったその日が来て、いよいよ於菊の到着する時刻が近づくと、私、中番に申しました。

「あと三十分、十時二十分着で、信州の山田紡績の団体が着く筈《はず》だ。その客《きやら》を迎えてくれ。ホームへ出てくれな。三十七人、若い女ばかりの団体だ。引率者は綺麗《きれい》な御婦人だ。その御婦人に、実は、帳場がお迎えにあがらなければならないところでございますが、生憎《あいにく》と立て込んでおりまして、はずせぬ用がございますから失礼させていただきます。そう言ってくれ。特に愛想よく言ってくれな」

そう申しつけ、私、座敷を見回るふりで二階にあがって行って、窓から駅の方を観察しておりました。

尤《もつと》も、その日は朝早くから大変な立て込みかたでした。前の晩に泊った備後《びんご》福山の盈進《えいしん》高校の団体が、百人あまり夜あけと共に起きて帰って行くと、入れかわりに九州若松高校の定時制の生徒が四十人あまり到着。そこへ青森の中学生が、百人あまり到着。つづいて大阪の高校生が、七十人あまり到着。帳場も女中たちも、目がまわるほどの忙しさでした。

でも団体客のことだから、昼間のうちは旅館にくすぶっているものはない、若松高校生の団体は、二階の裏座敷へ荷物を置くと、日帰りの予定で日光見物に出発。青森の中学生は、観光バスで都内の名所見物に出発。大阪の高校生は、観光バスで美術館や博物館や大学の見物に出発。そう言った工合に、団体客は浪《なみ》の打寄せるようにやって来て、引波のようにまた引いて行く。女中たちも、ここでほっと一と息つくところだね。

ちょうど、そんなところへ山田紡績の女工の一団が、うちの中番と於菊を先頭に、実に古めかしい古色蒼然《そうぜん》たる二列縦隊をつくってやって来た。私、二階の窓からそれを見て思わず噴き出しました。ちかごろ観光に来る団体で、二列縦隊をつくって歩くなんていうのは薬にしたくも見たことがねえ。しかし後で於菊から聞いた話では、そんな風に女工たちが振舞うのは山田紡績工場の厳則なんだそうだ。

山田紡績というのは、例のソハヤマタの山田さんが経営しているということなんでした。山田さんは、もと陸軍の兵隊あがりの士官だったそうで、だから寮生にはみんな山田さんの昔なつかしい軍隊式の作法でやらせている。寮生たちは、朝、顔を洗ったら庭に出て、各自の郷里の方角に向って姿勢を正して黙禱《もくとう》する。そのため、庭の隅に相撲の土俵の三倍か四倍ぐらいな丸い土壇のぐるり四方に、近郷の村や町の名前を書いた木標が何本となく、いちいち村や町の在る方角に向けて立ててある。寮生たちはその土壇にあがって、自分の生れた所の名前を書いてある木標に向って、うやうやしく遥拝《ようはい》の最敬礼をするわけなんだ。

ずいぶん考えたものでございますね。遥拝がすむと、体操するんだそうでございますが、山田さんはラジオ体操なんかダンスみたいだからつまらんと言って、寮生にスエーデン式とかデンマーク式とかいう体操をやらせ、三度の食事のときには、山田さんが作った「みすず刈る信濃《しなの》の国の何とやら――」という文句を口のうちで二度ほど繰返さしてから箸を取るようにさせている。寮から工場までの道は二町半、野良《のら》づたいの細道を一列縦隊で駈《か》けて行く。

「その先頭に立って駈けるのが、お前さんだな」

と於菊のやつに聞きますと、

「そうなの。あたし、いつも口のうちで、足並そろえて一二三、足並そろえて一二三、と言いながら駈けています」

と、目を細くして何だか楽しそうに口をきいておりました。

でも私、於菊とゆっくり話をする暇もございませんでした。その日は、いま申したように都合四組の団体客で、於菊の引率して来た三十七人の女工さんの団体は、二階にもあがらず帳場に荷物を置くと、すぐ近くの観光バスを呼んで東京名所見物に出発です。帰って来たのは夕方でした。そのときにはもう他の二組の団体が帰って来て、大阪の高校生を引率して来ていた先生が、帳場にねじ込んで来ている最中でした。理由は、大阪の高校生を階下の座敷に入れ、青森の中学生を二階の座敷に入れたということで、中学生よりも高い宿賃を払う高校生を階下の部屋に入れたのは、けしからんことだと大変な剣幕です。引率の先生、かんかんになっておりました。

こんなときには、こちらが頭を下げるに限る。先方は、旅行がすんだ後のことを考慮に入れてるんだ。生徒たちから、あの先生、俺たちが東京の宿屋で虐待《ぎゃくたい》を受けたのに、何の文句も言えなかったと言われるかもしれん。その話には必ず尾鰭《おひれ》がつく。先生はピーテーエーに対して面目ない。何よりもそれが一ばんつらいんだ。だから、こちらは先方の顔を立ててやりさえすればいい。

「御尤もさまで。それはまことに先生、何とも御尤もでございます」

私は帳場机を離れてぺこぺこ頭を下げました。見ると帳場の外に、もはや数人の大阪高校生がドテラ姿で腕組をして立っている。先生の顔を立てるのはここなんだ。

「先生、まことに御尤もさまでございますが、実は、お二階の生徒さんがたを引率の先生は、今年の正月、直接御視察にいらっしゃいまして、二階のこの部屋とこの部屋を、と仰有って予約して下すったんでございます。先生、その後におきまして、先生の方からお宿の御指定をいただいたのでございまして、何しろ学生さんがたには、生涯のなつかしい思い出となる修学旅行でございます。お気分のことが第一の問題でございますが、お気分的には下座敷の方も必ずしも悪くはないように致したく思っております。御一生の、なつかしい思い出の今月今夜のことでございます。しかし先生、お二階のお客様に御視察をいただいた後において、先生と御文通で数回となく御連絡を申しあげるうち、お姿を見ないでもお手紙で先生のお姿が髣髴《ほうふつ》として、御人格が移って参ったような感慨が致しました。文は人なりと申しますが、実に不思議なものでございます。ときに、先生は全く御達筆でいらっしゃいますね」

べらべらと口から出まかせを申しますと、帳場の外に立っている弥次馬《やじうま》の高校生たち、「なんのこっちゃ、あかへん」と言うように腕組を解くやつもいる。ぷいと去って行くのもいる。それから、よく若い看護婦が病院の廊下を歩きながらするように、指を擦り合せてぱちッと音をさせ、くるりと向きを変えて去って行く学生もいる。無論、二階のお客さんが正月に視察に御出張なすったというのは嘘《うそ》なんで、帳場の外の弥次馬は私の言う出まかせにだまされたわけなんだ。これでもう引率の先生の顔は立ったんでございます。

ところが、学校の先生なんていうものは、臆病《おくびょう》で世間しらずで融通がきかねえからね。帳場の外にまだ一人まごまごしている学生に声をかけて、

「君、すまんがな、みんな夕飯がすんだら、各班の班長に、外出希望者の名前と、外出の目的地を紙に書き出すよう言うとくれや。班長に、それを僕の部屋へ届けるようにな。いいかね、無断外出は、あかんのやで」

などと、きまりきったことを言っている。

それで私、帳場の外の学生にもよく聞えるように、

「いずれに致しましても先生、階下の座敷へお入れしましたのは、私どもと致しましても気分のよくないことでございます。それで、お二階の学校さんは、明日の晩はお立ちで座敷が明くんでございますから、そのとき是非ともお二階へおくつろぎ願いまして、十分のサービスさせていただきます。もう先生のお手紙には、数回となく接しておりますんで、いかに先生が教え子のために誠心誠意お尽しになっていらっしゃるか、精神的には十分に存じておるつもりでございます。では明日はお二階ということ

に、旅行社の添乗員《てんじょういん》へも私の方から左様に申し伝えます」

わざと大きな声で、そういう風に先生に謝ると、

「よろしい。番頭さんの気持はわかった。こちらも言いすぎたかもしれんな。では、明日は二階だね」

と先生は鳧《けり》をつけ、帳場の外に立っていた学生を連れて引きあげて行きました。

こんなことは、よくある話なんでございます。女の団体が二階で、階下が男の団体というようなのも男の方で怒る原因になるもので、また風光の地にある旅館とか大きな温泉旅館などになりますと、見晴しが利《き》くか利かないかで、団体客の引率者が帳場に反感を持つこともございます。現在のところ、宿泊料や部屋割などのことは、予《あらかじ》め旅行社とか観光屋とか仲に立ってきめておりますが、一般に駅前旅館などでは値段のいい方がお二階で、安い方が階下ときめるのが常識でございます。

私、早く於菊の部屋に顔を出したくって、むずむずしていたんでございますが、しばらくおあずけにして置かなくてはいけませんでした。大阪の高校生に付いている添乗員を女中に呼んで来させ、大阪の高校生に明日は二階の部屋だと約束したことを申し伝え、

「あの先生、ほんとに怒ってたかえ」

と聞きますと、

「なんでも、学生に教唆《きようさ》されたらしいね。さっき僕が、先生の部屋をのぞいたときには、土産に買った羊羹《ようかん》がインチキだと言って、かんかんに怒ってた。そこへもって来て、学生に教唆されて気負い立ったんだろう。先生も先生だが、学生の方も、あんまりしがらのいい方じゃないようだね。均《なら》してノーエンだ」

と、高校生の操行に平均点数をつけました。

ノーエンとは、十点満点に対して五点という意味なんで、先《ま》ず私もそれくらいの点数だろうと睨《にら》んでおりました。さすがは添乗員の眼力でございます。

この添乗員は古山欣一といって、中央大学の第二文学部の学生ですが、年はもう三十をすぎております。旧制中学を出ると旅行社へ勤め、京都支社へ転勤になると、それをアルバイトに同志社大学に通学して、次にまた転勤で東京に舞い戻ると中央大学に入学したと申します。この順で行くと古山は、今に日本中で一番年長の大学生になることでしょう。私どもの旅館では帳場の連中も女中たちも、多く古山の仇名《あだな》の万年大学生というのを略して、いつともなく「万年さん」と呼ぶようになってしまいました。

一般に観光屋なんていうものは、多くは大阪に本社を持っていて、団体客を引受けると添乗員を付けて道中の世話をさせる組織になっています。たいてい学生や講中なんか団体の乗っている車輛《しゃりょう》には空席は一つもなくて、デッキのところに旗を持ってしゃがんでいる腕章をつけた男をよく見かけますが、その男は汽車から出ると急に元気づいて物識《ものし》り顔に、あちらこちら指差したりして団体客のお相手をつとめている。この男、そのときにはもう腕章をはずして旗を巻いている。あれが添乗員でございまして、万年さんの勤める旅行社では、団体客の発足地から到着地まで付添って行くだけを専門にしている者がいて、帰りの道中の付添はまた別の者が勤めますが、到着地においてだけ案内してまわる役の者がいる。

万年さんのようなのは東京都内だけの案内係だから、その道にかけて段々と熟練を積んで行くわけだ。夕食後の自由散歩に出た学生が、点呼になっても旅館に帰らないときなんか、万年さんが捜しに出かけます。そいつが、必ずしも一発で捜し当てるとは言えないにしても、他の添乗員にくらべると万年さんは勘の働きで大人と子供ほどの違いがあるほど上手でございます。私どもとしましては、先ず上手な易者に占ってもらいに行くぐらいの信頼を置いているわけなんで、その点では旅行社の大阪本社でも万年さんを高く買っているようでございます。

いつぞや徳島県の高校生が門限を破ったとき、万年さんが出かけて行って半時間もたたない間に見つけたことがございます。さかり場のはずれの、ネオンだけ派手な薄ぎたないトリス・バーで見つけたと申しますが、そのとき万年さんに「手妻みたいじゃねえか。どんな工合にして、あの手合の行方に見当つけるんだ。やっぱし、帰納法というやつか」と聞きますと、「今日は、まぐれ当りなんだよ。かくれんぼの子を見つけるときだって、まぐれ当りで子供同士、鉢合せすることだってあるじゃないか」と話を逸《そ》らしました。でも、大体の見当をつけなくっちゃ、幾らまぐれ当りだと言ったって見つかりっこない。

それから後に、兵庫県の高校生が一度、また広島県の高校生が一度、いずれもカフェに行って門限に後れたことがございました。やはり万年さんが付添ってた団体の学生だったので、万年さんが流しのタクシーで捜しに行って見つけて参りました。見つけるこつは、要するに、帰納法という正式な理屈で搾《しぼ》り出すんだそうでございます。万年さんがそう申します。バスのなかなんかで団体学生の行状を見ていると、大体においてその学校の格がわかって来る。それで大胆不敵に規律を破るほどの学生なら、その団体の風儀の悪いところを煮詰めたような澱《おり》を持っている。満身にその澱を漂わせている。それと学校の格を照らし合せながら、搾って何か目に見えない或《あ》るものを沈澱《ちんでん》させて行くと、門限を破った学生は小粋《こいき》なカフェにいるか、だらだらッとしたトリス・バーにいるか、それとも女郎屋のようなところにいるか大体の想像がつく。それに、田舎から出て来て西も東もわからねえ若者なら、上野の駅前旅館街を中心としてみると、行動する範囲や方角など大体のところわかって来る。万年さんがそう申します。

その後また一度、同時に六人の高校生が門限を破ったことがございました。階下の座敷に泊ってた関西の学生だ。そのとき、二階に九州の学生が泊っていて、万年さんはそれの添乗員として付添っていましたが、受持が違っては見透しが駄目なのか、さすがの万年さんも規則違反者を見つけることが出来なかった。その六人の高校生は私どもの意表に出て、新宿の赤線区域で酒を飲んだ上、与太者と喧嘩《けんか》したということで、そのうちの二人が非道《ひど》い怪我《けが》をして自動車で連れられて帰りました。外科医を呼ぶやら接骨医を呼ぶやら、夜ふけていたのに大変な騒ぎでした。

とにかく万年さんという人物は、私どもには上得意の添乗員だ。無論、旅行社の方で特約みたいにこの人を差向けてよこすんでございますが、万年さんのように団体客の取扱いについてこんなに職業熱心な添乗員は珍しい。たとえば、お客が御祝儀をくれると万年さんはその金で葉書を買って、表に自分の住所姓名を書き、それを団体の何人かに一枚ずつ配《ばつた》って、その人たちに郷里に帰ったら旅行中の感想を書いてポストに入れてくれと頼む。すると、なかには巫山戯《ふざけ》たことを書いて来るのもいるが、たいていの者が楽しい旅行であったと万年さんに感謝する文《ふみ》を書いて来る。ときには旅館の女中への不満、食べものに手落ちのあったことなんか書いてある。ごく最近では、中学生の回答のなかに、

「柊元《くきもと》旅館の背の高い女中さんは、私が洗面所で靴下を洗っていると、きたないものを洗面器のなかで洗ってはいけないと怒って、私の頭を指ではじきました。うちに帰って母に言いますと、お前が悪かったのだと叱《しか》られました」

そんなのがあったと申します。

私、かねがね女中たちに、生徒にどんな失策があったって、引率の先生の前では決して叱ってはいけないと注意しているのでございます。先生は自分では生徒をよく叱るが、自分の生徒を旅館の者が叱ると非常に不快な気を起します。旅館の者として、慎しむべき重大なことの一つはこれでございます。左様、良心的な先生なら、自分の女房が下男に怒鳴りつけられたときぐらいの不快を感じます。

たしかに、背の高い女中は不謹慎である。指で生徒の頭の、どの辺を弾《はじ》いたかしらないが、背の高い女中にそんな手癖があろうとは思いもよりませんでした。私、その女中を帳場へ呼びまして、

「お前さん、せんだって富山県から来た中学坊主《ぼうず》の頭、指で弾いたってね。頭の、どの辺を弾いたんだ。ちょいと、たしなみ無いね」

笑顔をつくって聞きますと、

「わたくし、そんな非道いこと致しません。絶対、そんな覚えございません」

と白を切って見せるんで、

「それなら、まあそれでよいとして、しかし子供の方では、一生忘れっこねえと思っておくことだ」

と苦い顔を見せておきました。

この背の高い女中は、千葉県は外房のさる町の、相当な良家の出なんだそうです。ところが、嫁入り先が農地法で田畑を無くなして、間もなく亭主に死なれたという後家さんで、言っては何だが今だに好きな男がつくれない。その点、甲斐性《かいしよう》なしだが、外房の生れのせいか、それとも無理して後家を通しているせいか無性にきかぬ気だ。高校生なんかの、にきび盛りの英雄豪傑が悪ふざけを言うと、そんなとき識らず顔していればいいものを、つんとして座を立って来る。いつか二階のお座敷へ泊った田舎の高校生が、階段の中途の両側に一人ずつ立っていて、この女中がお膳《ぜん》を運んで階段をのぼって行くと、両側から高校生が同時に手を出して擽《くすぐ》ったことがございました。

それをされたんでは一とたまりもない。三つ重ねて持ってたお膳を投げ出したまま、女中部屋に駈《か》け込んで夕方から就寝時刻に及ぶまで口惜しがっておりました。「まるで千葉県の女とは思われねえな」と私、つくづく呆《あき》れた次第でございました。

かつて私、お客を案内して女郎屋通いをしていたときの見聞で申しますと、総体的に言って、千葉県出身のお女郎は、ざっくばらんで、純で、男に熱し易《やす》く、また冷め易いのが特徴のようでございます。それに引きかえ、東北、北陸出身の妓《こ》は、貞淑で、何か先祖伝来ではないかと思われるような根深い堅実性があって純朴です。山梨、埼玉、或《ある》いは静岡以西から出て来た妓は、気がきいて賢くて、身を守ることが上手、金を溜《た》めることも上手でございます。それから、雪の新潟出身の妓になりますと、男にかしずく要領が誠に堂に入っておりまして、男に思いを致している態度を見せる筆法が鮮かだ。そのくせ、だんだんと男が窮して来て、最後というときに立ち至ると、うまいこと逃げを打つ。新潟出身の妓で、借金がかさんで鞍替《くらがえ》させられるつらさのため、お客と心中した妓があった話は、私、まだ一度も聞いたことがございません。私が吉原通いをしていた当時、あそこに八百軒ほどの店がありましたが、心中したのは多く東北や北陸出身の妓でございました。当時、百件を越える心中事件があった年もございます。

さて、於菊のことでございますが、私、気が気でないので中番《なかばん》を於菊の部屋に差向けて、按摩《あんま》の御用はないか、土産物の御用はないかと伺わせました。するると、按摩は不要、土産物は夕飯がすんでから、各自に買いに出かけるということでした。

「では、杉の間の客は、まだ夕食をすましていないんだな。女中は何している。さっき、お膳を出したと言ってたが、何を愚図々々してるんだ」

私が気色ばんで立ちかけると、

「帳場さん、お膳は、とっくに出ています。杉の間のお客さんは、みんな自分でよそって食べるんだと言って、女中を追い返したんです。いま、あそこのお座敷の客、みんな同じ手の日記帳に、何やらごしごしと書いてます。おしろいを、こてこてに塗ってね……」

中番はそう申すんでございました。

そのとき、万年さんが大阪の高校の先生と一緒に帳場へはいって来ました。またしても、その高校の先生は難しい顔をしていましたが、酒に酔っている風で足がふらついておりました。今度は、ねじこんで来たわけではなくて、私の帳場机の上に、封を開けた土産物の羊羹の箱を置きまして、

「万事休すですわ。この羊羹が、大東京で産出された土産物だと思いますか」

と拳骨《げんこつ》で一つ机を打ちました。

見れば、その箱のなかに「花の都、煉羊羹《ねりようかん》」と品名を記した細長い箱が三つ並び、一つは包み紙が破ってある。何々屋謹製と書いてある。だが、その菓子屋の町名番地は書いてない。

「その、破いてあるやつ、改めてみてくれなはれ。中身を、御一覧ねがいますわ」

高校の先生が言うので、その細長い箱をあけますと、段ボール箱に入れてある羊羹は、太さが箱の幅の半分しかない。更に包みをあけて見ると、その包み紙の表には竹の皮に似せて斑紋《はんもん》を印刷ずりで出してある。裏側に銀紙を貼《は》り合せてある。これには別条がない。ところが中身の羊羹の一端に、白く立ちのぼるように黴《かび》が生えている。

「これはまた……」と私が声を呑《の》むと、

「黴も然《さ》りながら、揚げ底どころの比ではないのやね。これでも謹製ですか。いま一つ、僕を茫然《ぼうぜん》とさせた土産物を、御一覧ねがいますわ」

高校の先生は、ドテラ着のふところから、「花の都、名所巡り」と品名を記した煎《せん》餅《べい》の箱を出して、煉羊羹の箱と並べました。蓋《ふた》をあけると、四角い煎餅に、西郷隆盛《たかもり》の銅像、楠公《なんこう》の銅像、議事堂などの絵模様を焼きつけてある。

「中身を、よく御覧ねがいますわ。それも同じく、揚げ底どころの比ではないのやね。上側の煎餅、一枚めくって御覧なさい」

しかつめらしい先生の言葉は、私を追いたて追いつめているようでした。鬼が出るか、蛇が出るか、とにかく薄っぺらな四角い煎餅をめくって見ると、箱にきっちりはまる大型の煎餅が、ただ一枚だけで、その下にはパラフィン紙みたいな白い紙を細切りにしたものが、いっぱいに詰めてある。

先生はドテラのふところから、今度は浅草名物と品名を記した粟《あわ》おこしの箱と、海《の》苔《り》の鑵《かん》を取り出して見せました。

海苔は上等とは言えないにしても、やはり浅草海苔の系統の品でした。粟おこしは、黄、青、白の三色に分れ、ちょっと食べてみたいような気持を起させる。これは粗製品とは言えないように見えましたが、海苔にも煎餅にも粟おこしにも、三つとも製造元の名前が書いてないところが不思議に共通しておりました。

万年さんは「先生、ちょっと失礼します。粟おこしを、一ときれ試食させていただきます」と一つ口に入れまして、ぼりぼりと嚙《か》みながら、

「うん、これは悪くない。案外、うまいじゃありませんか。うん、これはちょっといける。しかし先生、とても大阪の粟おこしには追っつきませんですね。何と言っても、

食べものは大阪ですね」

と先生の御機嫌を取りむすぼうとすると、

「大阪の者は、味覚が発達しとるのやからね。味覚の町だもん。粟おこしの包装紙だって、大阪のは、色彩からして子供の味覚をそそるように出来てるわ。あれを大人が買うときには、たいていの人が目を細くしとるやろ。童心に返っとる証拠やね」

先生はそんなことを言いながら、浅草名物の粟おこしを口の中で噛んでおりました。ところが、破れていない方の煉羊羹の箱を押しあけると、またしても東京都を誹謗《ひぼう》する口をきくのです。

「よくもこんな土産物、東京都の商人が売ったものや。東京のジャーナリストは、よく新聞などに、地方の観光地の羊羹は箱が揚げ底になっとると書いておる。田舎の羊羹の箱は揚げ底になっておるのやから、田舎者はずるいと書いておる。しかし、この東京の羊羹たるや、僕は中身と箱をくらべたとき、殆《ほとん》ど失神するところであったのやね。修学旅行の学生らが、こんな羊羹を買いよったら、東京でこれならばと、必ず心の動揺を感じるに違いないのや。一国の文教に関する重大事ですわ……」

すると帳場の外から、

「おい、田築君。演説やめて一緒に飲めや。我々は東京に来とるのや。東京風にスマートになろうや」

と酔っぱらいの声が聞えました。

連れの先生だと思われました。田築君と呼ばれた先生は、

「そしたら止《よ》しますわ」

と言ったかと思うと、帳場机の上の土産物を素早くドテラのふところにねじ込んで帳場を出て行きました。この三十前後の田築先生は、やはり酒くさい匂《におい》をさせて、相当に酔っているようでした。

しかし、こんなのはまだいい方で、なかには引率の先生全部がどこかへ寝泊りに行って、翌朝バスが出発するので生徒が道に整列していても、まだ帰って来ないのもありました。なかにはまた消灯後、女を呼べと注文するのもある。こちらはその気持に同感するしないに拘《かか》わらず、悲しい哉《かな》、それを警察が許してくれないから、無理な注文する客として煩《わずら》わしく思うことになる。女中なんか、一文にもならない注文だからすぐ軽蔑《けいべつ》の舌を出す。概して無理難題を言うのは中年以上の先生で、年とった校長先生となるとまだ非道《ひど》いのが多い。還暦に近い年で、酔って寝たまま煙草《たばこ》をすって火事を出しかけた校長もいた。年が上になるほど旅疲れの度が強いので、自分の酒の適量に異変が生じているにも拘わらず、つい不断より飲みすぎるから自分を失ってしまう

のかもしれぬ。思えば、修学旅行というものは、中年以上の先生には一種の難行苦行ではないかと存じます。

かれこれ時間が無駄に過ぎて行きますので、私、気が気でなくて二階の杉の間をのぞきに参りました。すると、そのお座敷の女工連中、食事をすませて自由散歩に出かける直前で、寮長の於菊が、みんなの財布のなかを検閲しているところでした。
「よござんすか、五百円以内でございますよ。余分のお金、ふところに隠してないでしょうね。はい、よろしい、五百円ちょうど。――はい、次の人」

於菊はそんなことを言いながら、次から次に女工たちの見せる財布をあけて見て、いちいち内容を点検しているのでした。

さっき中番の言った通り、連中は、ごてごてと白粉《おしろい》を塗り、柊元《くきもと》のドテラをきて帯だけは持参の派手な伊達巻《だてまき》をしめておりました。みんな十九か二十ぐらいの若い子で、総勢三十何人、六人ずつ一班の六班に分けられているようでした。但《ただ》し、別格と見える四十前後の女が一人いて、これは紺のツーピースをきた瘠《や》せっぽちの女だが、たしかに於菊の目付役に任じられていることがわかりました。

「規則を破る人がいると、寮長先生の責任になりますよ。いくら自由散歩といったって、各自に責任を持って行動して下さい。もし違反者がいたら、私から社長さんに御報告いたします。繰返して言っておきますが、門限は八時半、つまり二十時三十分、消灯は二十一時です」

目付役の女はそう言って、ふと振向くと、私に胡散《うさん》くさげな目を向けました。於菊は私の方をちらと見て、何くわぬ顔でまた財布の点検をつづけました。

でも私、かまわず前に進み出て、わざとその目付役に鄭重《ていちょう》に頭を下げました。

「いらっしゃいまし、お疲れでございましょう。手前、この旅館の帳場でございます。本日は、ようこそ御遠方からおいで下さいまして、まことに有難う存じます。何のおもてなしも出来ませんが、どうか我家のおつもりで、お気らくにおくつろぎ下さいまし」

「お世話になります。どうぞ宜《よろ》しく」

そう言ったのは、目付役の女でなくって、財布の点検をつづけながら口をきく於菊でした。こちらも涼しい顔で調子を合せてやった。

「つきましては、明日のスケジュールでございますが、もしお宜しかったら、一応お聞かせ願います」

「あたしたち、七時に起きて、七時半に朝飯いただきます。さっき、背の高い綺麗《きれい》な女中さんに、そう言っておきました。八時に出発して、観光バスで鎌倉《かまくら》見物をしようと思っているのですけれど、そちらさんでもいい思いつきがあったら教えて下さいな」

「では、スケジュールのことでございましたら、旅行社の添乗員に御相談になるのが一番でございます。ひとくちに添乗員と申しますが、いろいろ専門がありまして、私、東京近郊観光案内の専門家を存じておりますから、その者を呼んで参ります。すぐ近くの、そこの観光バス会社のそばでございます」

この謎《なぞ》が通じたのか、ちょうど於菊は財布の点検が終ったところで、

「ものごとは相談してみるものね。ねえ、よかったわね」

と目付役の女に薄笑いを見せ、

「それでは、女中さんか誰かに道案内してもらって、旅行社の人に面会して来ます。どうせ自由散歩の時間ですから」

そう言いながら、ドテラ着のふところから小さな手帳を取出して、仔細《しさい》らしく何やら書き込みを始めました。

私は話が通じたものと見極めて、

「では皆さん、ごゆっくり」

と挨拶《あいさつ》もそこそこに、ほっとして階下へおりて参りました。

だが、自分はこの道の冒険家として、万一の場合を考えなくてはいけないのだ。もし目付役の女が於菊のあとからついて来たら、於菊に赤い顔をさせるくらいのことでは事態がおさまらない。私、そう思ったので、添乗員の万年さんを大阪高校の先生のお座敷から呼び出して、

「いまから、ちょっと手を貸してくれ。どこか近くの、居心地のいい店で、俺を待ってててくれ。すこし手間を取るかもしれねえが、あとから客《きやら》を連れて行くからな」

と頼みますと、

「承知した。でも、どうせ待たされるとしたら、俺の馴染《くにけ》店で待ってた方がいいだろうな。あそこの辰巳《たつみ》屋で待ってるからな」

と心得て、この好人物の万年大学生は、そそくさと出て行きました。

もうそのときには、ぼつぼつ二階の杉の間の女工連中が降りて来て自由散歩に出て行くので、私は帳場の窓から様子を窺《うかが》っておりました。いずれも一班六人ずつの群れで、四班五班ぐらいの人数が出てしまっても、あとにまだ少しの人数が残っているようでした。私の気になるのは、ただ一つ、目付役の女が於菊と一緒に出て来るかどう

かということだ。と言って、二階の様子を窺いに行くわけにもいかない。気が苛立《いらだ》って来る。女中に様子を探らせにやることは、とりもなおさず目付役の女に感づかれることだという気持がして、私は鳴りをひそめてお裁きを待っているような恰好《かっこう》でした。

いったい長野県というところの人は、人間が固く出来ているようでございます。観光目的の団体旅行で東京に来て、引率者が団員の小遣を制限するなんて、日本の金塊が外国に流出するのを惜しむようなものと同じことだ。こんな客は我々業者に乗じさせる隙《すき》を与えない。

これが学生の団体でも、各地方によっていろいろの風儀がございます。長野、山梨になりますと、自由外出するとき引率の先生が生徒の小遣を預かって、二百円以下しか持たせないというのがある。なかには厳重に身体検査までして、小遣銭の全部を預かってしまう先生もある。長野県というのは頭のいいところだと言うが、長野のお客さんで勝股《かつまた》さんという珍しく気前のいい旦那《だんな》に伺った話では、あそこの信州では山のなかの馬子でも馬を曳《ひ》きながら、中央公論とか文芸春秋というような雑誌を読んでいるそうだ。私、何だか妬《ねた》ましくなりまして、

「それなら旦那。信州の馬子は、往々にして崖《がけ》から転覆いたしますでしょう」

と混ぜ返しますと、

「いや、絶対にその心配はない。そんな心配してもらわなくても大丈夫だ。二宮金次郎を見てごらん、薪を背負って、本を読みながら崖の上を歩いている。番頭も、銅像でそれを見たことがあるだろう」

　勝股さんは泰然としてそう仰有《おつしや》ったが、やはりこの旦那も何となく信州人くさいと思ったことでした。

　同じ修学旅行の団体でも、群馬県とか千葉県になると、中学生の一年坊主《ぼうず》でも金づかいが荒い。土産物の陳列場で、「坊や、これ買わないのかい」なんて冗談半分に言うと、「もう銭ないよ」なんて言っている。

　お客のうち、爺《じい》様婆《ばあ》様を泊めて賑《にぎや》かなのは、何といっても千葉県の外房だね。飲むと、必ずやるのは盆踊や大漁節だ。みんな自分の家から踊の用意支度を持って来て、お酒のほか長襦袢《じゆばん》から手拭《てぬぐい》一本まで準備してやって来る。ことに漁師町は女が亭主を尻《しり》に敷く習慣か、男に率先して大酒のんで、寧《むし》ろ関西の苦労のない学生か昔の高等学校の生徒のように、ぱッと賑かに騒ぎますね。普通、団体客だと二級酒の二合瓶を一本ずつ夕食の膳《ぜん》に付けますが、石川県あたりの婆様など、飲まないのはそれをスーツケースに入れて息子の土産に持ち帰るのがございます。

いったいに東北の客は地味なので、世間では東北六県と一とくちに軽く言っているようだが、旅館としてはこれ以上の客はございません。よくも親切に泊めてくれたと、番頭から下足にまで一人一人に礼を言って帰るのがいて、確かにお世話になったという気持を見せてくれる。私どものような擦れっからしの人間でも、途端にしんみりさせられることがございます。勿論《もちろん》、これは均《なら》して言った上のことなんで、ついでに言えば、東北は気がきかないけれども従順で、女中として傭《やと》ったような場合でも、育てあげた暁には立派に一人前になると同業の者も申します。新潟県人も客のとりなしは上手だし、使い易《やす》いのが特徴です。

そこで於菊のことでございますが、さんざん私を待たした上に、ドテラを和服に着かえて目付役の女と一緒におりて来て、

「お帳場さん、旅行社の人のところに御案内ねがいます。でも、お忙しかったらそれに及びません、よござんすよ」

と、ぬけぬけと申します。

でも私、癇癪《かんしゃく》が起きるのを辛くも持ちこたえまして、

「はい、お出かけでございますか」

と帳場を出て、

「では、御案内いたします。ずいぶんお待ち遠さまでございました」

と皮肉まじりに言ってやりました。

於菊は私の方は見もしないで、目付役の女に何やら親しげに耳うちをして、下足を出した中番《なかばん》には、

「どうもすみません」

と愛嬌《あいきよう》よく会釈《えしやく》して見せました。

私は胸を撫《な》でおろす一方には、於菊の振舞は手が込みすぎてると思いました。それがまた嬉《うれ》しいことの一つでした。いわゆる多感をそそるというやつなんだ。目付役の女は、ただ玄関まで於菊を見送って来ただけでした。

私は中番に「辰巳屋へ行って、万年さんと打ちあわせることがあるから」と言い置いて来ましたが、外に出ても曲り角のところまで、揉手《もみで》をつづけながら神妙な恰好で歩いて行って、私も於菊も共に口をききませんでした。横町に曲ると、於菊の方で先に口をききました。

「さっきは、あんなことを言って、ほんとに失礼しました。ごめんなさいね。それから、いつかは抓《つね》ったりなんかして、すみません」

私は有卦《うけ》に入ったようなものでした。

「しばらくだったね。でも、寮長さんが勤まるなんて、大したものだよ。ほんとに結

構だった」

「あたし、まだ新米の寮長ですから、こないだ、松本の工場へ見習いにやられました」

「そのうち、だんだん板について来るだろう。お前のところの工場、相当に厳しく仕込む方なんだろうな」

「うちの社長さん、寮に来たときには、とても厳しいんです。あたし、いつも非道《ひど》く叱《しか》られます」

「その社長さんというのが、寮長さんの旦那というわけだね。つまり、お前の旦那だな」

於菊は気のないように頷《うなず》いて見せました。

明るい通りのところは少し離れて急いで歩きました。でも、東京には暗い通りが実にすくないものだと、そのときばかりは私、つくづくそう思ったことでございます。

マーケット街も、土曜日のことで各商店とも、軒にぶら下げた桜の造花に照明を当てておりました。それで回り道をして横町にはいって行きましたが、於菊は私が何の合図もしないのに、紐《ひも》か何かで繫《つな》がっているようにすらすらとついて来る。私が煙草屋の窓口のところで不意に立ちどまると、ふんわりとして於菊が少し離れたところに立ちどまっている。この女、よほど男と一緒に歩き馴《な》れているんだなと、思うだに、いっそいじらしいようなものでございました。

大通りの向う側は即《すなわ》ち辰巳屋のあるバラック街で、そこの大通りはトラックや自動車が続々と通るので、折から私設の交通整理人が一方的に遮断信号の手を挙げておりました。その信号が変るまで、暫時《ざんじ》の間、私と於菊は肩を並べて立ち話をしました。

「旦那さん、お前を愛して下さるかね」

「そんなの、どう御返辞したらいいんでしょう」

「旦那さん、愛して下さるかと聞いてるんだ。お前、豆女中だったころは、男にかしずくのが無器用だったからね。梅檀《せんだん》は二葉より香《かん》ばしの、お前はその反対だったよ」

「あたし、覚えてますわ。あたしが綿毛を取ったときのこと、思い出してらっしゃるんでしょう。やっぱりあのとき、あたし無器用だったんですのね」

「綿毛を取ったのが、何で無器用なんだ。それは兎《と》も角《かく》、あれから、お前の兄貴さんから手紙を貰《もら》ったよ。長い長い手紙だ。たこ部屋にいたときのこと、詳しく書いてあったよ。何も彼《か》も、もうよくわかったよ」

信号が変ったので、私は於菊と一緒に急いで大通りを横切って、通称を後家横町という路地にある辰巳屋の暖簾《のれん》をくぐりました。ところが拙《まず》い。

「やあ、来た来た」

と言ったのは、同業仲間の水無瀬《みなせ》ホテルの高沢だ。この男は、添乗員の万年さんと同じくここの辰巳屋の常連なんで、二人は仲よくスタンドに並んで酒を飲んでいた。万年さんは於菊を見ると、

「お膝《ひざ》送り」

と高沢を肘《ひじ》で突き、スタンドの前に私と於菊が腰をかけられるように席をあけてくれました。

「やあ、すまねえな」

鍵《かぎ》の手に十人ばかり並ぶ余地を持ったスタンドです。私と於菊が割り込んだので満員だ。お客は、私たち二人と万年さんと高沢を除けば、あとは修学旅行の高校生ばかり。

私は酒とレモンジュースを注文して、

「ところで万年さん、このお客さんが、団体で鎌倉見物されるんでね。お前さんに、スケジュールを組立ててもらいたいんだ」

そう言って紹介しましたが、万年さんだって、もう大体のところ勘づいている。

「委細心得ました。今夜じゅうに、三つ四つのコースを書いて、お届け致します。間

違いなくお届け致します」

と他人行儀な口をきく。

高沢も同じことで、

「生野さん、久しぶりですね。一杯いかがです」

と私に杯を差したので、辰巳屋のおかみも以心伝心というやつだ。

「はい、お酌させていただきます。ずいぶん宜《よろ》しい気候になりましたですね」

当らず障《さわ》らずのところで私にお酌して、於菊には「奥様いかがです」と注ぐ真似《まね》をして、コップにレモンシロップを注いでやって、

「ほんとに狭苦しいところで、びっくりなさいますでしょう。それに煩《うるさ》くってね。でも、たまには、こんなところもようございますわね」

と、お愛想を言うのです。

これは、上客と見た者に言うきまり文句だが、

「煩くってねとは、何ごとだ」

高校生の一人が、いきなりそう言って立ちあがりました。すると於菊の膝が、ぴたりと私の膝に触って、ぐいぐい押しつけて来るんでございます。

「おいこら、煩くってねと言うたのは、僕等が田舎弁で騒いだんで煩いと言うんだろ

う」

「おや、お気に障ったら御免なさいね。この横町は後家横町と言って、いったいに騒々しいごみごみした路地なんですからね。ですから、煩くってと言うのが私の癖なんですよ。でも、お気に障ったら御免なさいね」

おかみは、おとなしくそう言うだけで、あとは女中任せにして常連客にだけ酌をしておりました。なかなか働き者のおかみだから、酌をする合間には、蒲鉾《かまぼこ》を切って小皿に盛る。文鎮で銀杏《ぎんなん》を叩《たた》き割ってフライパンで炒《い》る。お銚子を振ってみて酒をつける。お燗《かん》がつく間に、スタンドのかげにしゃがんで手早くお化粧をなおす。

おかみはそんなように忙しく働いてましたが、女中は高校生たった一人をなだめるのに手こずって、

「にいさん、お止《よ》しなさいよ。立ってなんかいないで坐《すわ》んなさいよ。にいさん、腰かけてお飲みなさいよ」

なんて言ってるだけでした。

高校生は五人づれで、友達甲斐《がい》のあると見える一人だけ、

「おい坐れえ、もう止《や》めえ。坐って、まあ一杯いけえ、おい坐れえ」

なんて言っているだけでした。

あと三人の高校生は、早くも酔いつぶれたようなふうをして、スタンドに俯伏《うつぶ》せになっておりました。実に友達甲斐のない学生でございます。はるばる東京くんだりまでやって来て、大将格の友達が大恥さらしているのに狸《たぬき》寝入りを始めている。

大将格の学生は、どうも小遣銭が足りなくてお会計を言い出しかねているようでした。それに因縁のつけかたも、声が大きいだけで何のこともないのです。

「おいこら、僕等の田舎弁がそんなに煩いのか。今さっき、ここの女中は、僕等に甲州弁を教えてくれたろうが。僕等の田舎弁と甲州の田舎弁と、どっちが煩いか言うてみい。今、甲州弁のおさらい、してこまそうか。わしは、甲州弁を筆記して置いてェたから、朗読してやろうか」

大将格の高校生は、突っ立ったままポケットから手帳を取出して、筆記を頼りに不《ふ》貞《て》くされ声を出しました。

「そんなこと言ッチョシ、このぼこ、ブッサラウゾ。その意味、かかること言うなかれ、この子、ぶん撲《なぐ》るぞ。然《しか》り而《しこ》うして、もう一つ筆記してあるんじゃ。ハンデメタメタゴッチョデゴイス。おい、こりゃあどういう意味じゃ。田舎弁は煩いという意味か」

「おい、もう止めえ。おい坐れえ、坐らんか」

と友達甲斐のある学生が、不意に立ったかと思うと、立っている学生に抱きついて、共倒れのようにして腰をかけさせました。すると大将格の学生は、大きな息を一つしてからスタンドに頬杖《づえ》をつきました。

これを汐《しお》に、於菊の膝が私の膝を強く突いたので、ひそかに私、高校生に対して相すまないと思ったことでございました。いい年をして好きな女と膝を突きあわせ、その女に酌をさせながら旅の学生の酔態に白々しい目を向けている。だが、機会というものは二度も三度もあるものではございません。

「関西《ニシマエ》も、鳥居のある辺に近いな」

高沢は独りごとを言って、

「失礼ですが、学生さんに伺います」

と、大将格の学生に話しかけて、わけなくその学生たちの学校の所在地を喋《しゃべ》らせてしまいました。

「ついでに伺いますが、すると、貴方《あなた》がたの学校の校長先生は、矢木村君でしょう。矢木村君、健在ですかね」

この高沢の一言で、今まで狸寝入りをしていた学生三人が、バネ仕掛のように顔をあげ、その一人が答えました。

「は、健在です」

例によって、高沢は人の意表に出たのです。この男は、もう長年にわたる旅館奉公で叩き上げ、尻尾《しっぽ》が生えてるほどしたたかです。見ず識《し》らずの学生に鎌《かま》をかけることなんか、さしたることとも思わない。

「俺も、矢木村君には何年か前に会ったきりだ」

と高沢は、感慨ありげに酒を飲みほして、万年さんに酌をさせながら、今度は万年さんに話しかけました。

「矢木村君という人物は、国文学が専攻でね。なかんずく、歌舞伎《かぶき》が好きなんだ。歌舞伎も近松物が大好きでね。上京するたんび、近松物なら緞帳《どんちょう》芝居でも必ず見るといった男なんだ」

そう言って、腰かけの上に胡坐《あぐら》をかきまして、

「俺も今では、こうして辰巳《たつみ》屋のスタンドに齧《かじ》りついたりしてね、腰かけに天神をきめこむような人間になってしまった。しかし、昔は近松研究において、矢木村君とクラスのうちで優劣を角逐《かくちく》したものだ」

「なるほどね、ライバルであったんですね。よくあるやつです」

と万年さんも調子を合せます。

五人の高校生は、こんな場所で思いがけなく校長先生の噂《うわさ》をされたので、おそらく奇縁だと思ったことでしょう。それよりも、酒の上の醜態を気に病みだしたことでしょう。五人とも、高沢の方を見るか伏目になるかして、鳴りをひそめておりました。

一方、私は於菊と膝を突き合していましたので、取澄していなくっちゃいけないと気取っておりました。高沢が出まかせを喋るんで、私、ほどよく気取ってることが出来たんだと思います。出まかせを聞いているのだから、なおさら快楽に浸り得るんじゃないかと、悦に入って出まかせを聞いていたようなことでした。

しかし高沢の出まかせは、案外に効力があったようでした。学生の一人が、

「矢木村先生は、もう三年前から、近松に関する著述を執筆しとられます。我々は、それは博士論文じゃろうと言うとるんです」

と自慢してみせました。

「そうか、矢木村君も、なかなか勉強してるんだな」と高沢は頷いて、「俺も応援の意味で、参考書を送ってやりたいくらいだよ。しかし、独力でやるのがいいことだ」

人を煙に巻くというのはこのことだ。あとで高沢から聞いた話ですが、いつか矢木村校長なる人が修学旅行の団体をつれて水無瀬ホテルに泊ったとき、高沢はホテルの支配人の意を受けて、校長先生を芝居へ案内したという話でした。ホテルとしては、

近松に心酔している校長の急所を摑《つか》もうとしたわけです。団体を引受ける駅前あたりの旅館では、引率して来る先生の趣味、嗜好《しこう》、性癖について、出来るだけの情報を集めるのが常識で、リベートを要求するような先生には、出来得る限りそれに応じるようにするのが商法と心得ている。

そこで高校生の大将格の男ですが、もう止せばいいのに、「ウォーターをくれ」と女中に言いました。それも友達甲斐のある方の高校生と、耳打ちで頻《しき》りに囁《ささや》きあった上のことでした。門限ぎりぎりまで動きたくないつもりに見えましたが、店のおかみとすれば、もういい加減にしてくれと言いたい気持だったでしょう。さっきから、暖簾をのぞくだけで帰って行った客が何人かありました。万年さんも高沢も、その辺の消息を察していたようでした。

「どうも、誰かさんは花道がよくねえな。では、俺が帰ってやろう、常連客の作法だ」

と万年さんが腰をあげました。それをおかみさんが引きとめると、高沢が「俺は、矢木村君の棚卸しをするんじゃないけれどもね」と言って、矢木村校長の棚おろしを始めました。

「矢木村君というのは、こんな前歴の人間だ、ここだけの話なんだがね」

と、高校生に注意を向けさして、おかみさんを話相手にして言うのです。

「実は、矢木村君が教員になる前のことなんだ。僕と矢木村は、同じときに毎日新聞の入社試験を受けたもんだ。試験問題は英語とか常識問題とか、感想を書くこととか、いろいろあるんだ。ところが矢木村は、近松は知ってるが英語なんてさっぱりわからねえ」

「ほんとにね、お気の毒ですわ」

「それに矢木村のやつ、常識試験もさっぱりだ。五問題のうち、外国に関係した問題は、グロスター公というのが一つあった。おかみさんは、もし試験場に連れ出されたら、この問題の答案が書けるかね」

「あたし、字がへたくそなんですもの。恥ずかしいから、白紙を出しますわ」

「そうだ、その意気でなくっちゃいけねえ。ところが、矢木村先生は別だ。その試験問題が、ガリ版刷だったもんだからね。矢木村先生は、グロスター公をグロスターハムと読んだ。公の字がハムと見えたんだね。尤《もっと》も矢木村は、当時から少なからず近眼でもあったようだ」

「まあ、お気の毒でしたこと」

「やっこさん、それで、グロスターハムとは、ベルリンで産出するハムなりと書いたもんだ」

おかみさんも万年さんも噴き出して、同時に於菊が、笑いをこらえて膝に力を入れるのが私の膝に応《こた》えました。高校生たちは、さっきから固唾《かたず》を呑《の》んでいた割には大して苦い顔も見せないので、せっかく出まかせの話も大して効果がなかったわけでした。

私はそれどころではないという気持と、この辺のところを限界にすべきだという気持と、まだ他にも極秘にしたい阿呆《あほ》らしい気分が湧《わ》いて来て頭がこんがらかっておりました。何も彼《か》も生憎《あいにく》のようで、いや、これ以上の上首尾はないのだと思う気持もございました。試しに私の膝で女の膝を突いてみると、じっくりと二つ三つ突き返して来るのです。

見ると高沢が、万事を察しているように、私の方を見ながら耳をほじくっておりました。思い出し笑いまでして見せているのです。

「おい、ばかなことを考えずに飲め」

私が睨《にら》む真似《まね》をして、お銚子《ちょうし》を手に持ちますと、

「は、では頂戴《ちょうだい》いたします。頂くものは頂きます」

高沢は猪口を持った手を伸ばしまして、受けて大きな所作で飲みほすと、ぱちりと平手で額を打つのでした。

辰巳屋のおかみは私の方には目を背け、飯事《ままごと》に使うような小さな俎《まないた》の上で小田原蒲《かま》鉾《ぼこ》を薄めに薄めに切っておりました。店の外に、修学旅行のどこかの高校生と思われるのが、「神仙あそぶ瀬戸海の、ささ波なぎにささやきて……」という歌をうたいながら通って行きました。そこへ、暖簾《のれん》の間から柊元《くきもと》の中番《なかばん》が顔をのぞかして、

「帳場さん、お迎えに参りました」

と私を呼びました。

案の定、長野県から来ている年増の客が、於菊の帰りが遅いので呼んで来てもらいたいと言ったというのです。於菊は気をきかして暖簾の外に出て行きました。私の推量していた通り、この女は監視つきで寮生たちを引率して来ていることがわかりました。

「お前、監視されてちゃ、誰とも浮気できねえな。それもいいが、あの監視役の女は何者だね」

暖簾の外で於菊に聞くと、

「あの人、寮生の茶の湯や活花《いけばな》の先生です。それから保健衛生の先生です」

と蚊の泣くような声を出しました。

しかし何も周章《あわ》てるには及ばない。私は暖簾のなかをのぞいて添乗員《てんじょういん》の万年さんに、「おれは寮長さんのお供をして、ぶらぶら歩いて帰るからな。お前さん、明日のスケジュールを大急ぎで二つ三つ書いて、おれたちの後から追いついてくれ」

そう言い置いて、高沢には、「この野郎」と言い残す意味で、私の鼻を拳骨《げんこつ》でこすりあげて見せるだけにして置きました。それから使いに来た中番には、

「帰ったら山田紡績の年増女《としま》に、こう言うのだ。ただいま旅行社の添乗員のところに参りましたところ、ほかならぬ精神主義の山田紡績の団体のことでございますから、いろいろと添乗員も精神的な方面のことを考慮してスケジュールを組んでおると申しておりました。寮長さんはすぐお帰りになりますが、寮生たちの希望を忖度《そんたく》されまして、スケジュールのうちに、映画撮影所見物の一項を入れようか入れまいかと、迷ってらっしゃいますと言って置け」

そう言い含めて、中番の梅吉を先に帰しました。

どうせ娘ざかりの寮生たちのことだから、映画女優のお化粧ぶりを見たいのはわかりきった話でございます。もとより出まかせに言ったことなんですが、そばで聞いていた於菊は、まあお上手ばっかりと言うかのように、そっと私の肘《ひじ》をこづきました。

時計を見ると、寮生たちの門限まで、あと二十分ぐらいというところでした。もう寮生たちも、ぼつぼつ柊元旅館に帰って来る時刻ですから、於菊は寮生たちに見つかるのを警戒しながら、流しのタクシーを停めて私を連れこみました。

「運転手さん、十五分間ほどドライブして下さいな。出まかせの方角へ走って、十五分たったらここに帰って来るようにして頂戴」

運転手は無言のまま心得て、不忍《しのばず》の池の方角へ車を飛ばして、池の端に出ると、メートルで稼ぐつもりか猛烈な速力を出しました。危なっかしくて私はびくびくものでした。於菊の方は、そぞろに気が浮き立つ風で、長野県〇町の山田紡績工場の社則や、寮生活のことを愉快そうに喋りはじめた。寮の庭には寮生たちが故郷に向って遥拝《ようはい》する土壇があることや、出勤のとき寮から工場まで野良《のら》づたいの細道を一列縦隊の駈足《かけあし》で行くことや、寝小便をする寮生のいることや、寮生の受取る手紙は保健の先生が開封することになってることなど、もうこの前、私がお話したようなことを独りで愉快そうに喋るのです。でも、それはそれで於菊が躁《はしや》いでいるのだから先《ま》ず結構だとして、気になるのは運転手が猛烈なスピードで車を走らせることでした。池の端を一周するとまた同じ道を違反の速力で走らせるので、私はストップを命じ、バックを命じ、乗車した場所に引返してもらうことにしました。

「あとまだ、七分間か八分間あります」

於菊はそれきり、山田紡績工場の話は止《よ》しました。私は何だか口をきくのが難しいような気持になっておりました。於菊のお喋《しゃべ》りを聞いているうちに、於菊が躁げば躁ぐほど私の気持は滅《め》入《い》って行く。山田紡績の山田さんとしては、自分の好きな女を自分の工場の寮長に据えるのに何の斟酌《しんしゃく》もない筈《はず》だ。それに対して私が苦情を言う筋合はないが、山田さんが官兵と私兵を混同しているようなもので気拙《きまず》いものでした。

それに似た話は他にもございます。いつか柊元旅館に泊った或《あ》るお宮の神主は、地方の六個所の町でそれぞれ自分の好きな女に旅館を経営させていると言っておりました。それも自慢のつもりで言ったのだと思われます。そのとき私が、

「すると旦那《だんな》は、半期々々、一つの旅館に一回ずつ収益を集めにお出かけになるんでございましょうね。そう致しますというと、毎月旅行にお出かけにならなくっちゃなりませんですね。御多忙のことでございましょう」

と申しますと、

「なんぼ自分の女にさせる旅館といっても、管理の難しさは普通の商店と同じことだ。半期々々に、一回ずつで管理がつとまるものか。それだによって、腹心の番頭を置かないことには滅《め》茶《ちゃく》苦《ちゃ》茶だ」

そう言って、神主は強引に私を柊元旅館の帳場から引抜こうとしたものでした。それで私、自分の貰《もら》う固定給と歩合次第では、神主の妾宅《しょうたく》旅館へ鞍替《くらがえ》しようかと心を動かしてたようでした。私という人間は、番頭として、また一個の人間として何ら節操があるわけではなく、自分で自分を信用している人間ではない。しかも自分は何という女に弱い人間だろうと自分で自分の気持を持てあますことがある。ただ、自分でもよくわからない何か意地ずくのような気持から、その日その日の恰好《かっこう》がつくように我流で凌《しの》いでるだけなんだ。

於菊と私は車を降りて、どちらが言うともなく離ればなれに通りを歩いて行きました。すると柊元旅館の通りへ曲る街角で、添乗員の万年さんが私を待ち受けて、

「おい、首尾はどうなんだ。でもその話、あとでゆっくり聞くよ。おれは、あの寮長さんの部屋へこれを届けるからな」

と、スケジュールを書いた紙ぎれを私に見せ、於菊のあとを追いました。

帳場の仕事は下帳が大体のところ片づけて、階下も二階も団体客の部屋の寝床を敷き終り、門限間際《まぎわ》に駈けて帰る学生を待つだけになっておりました。しかし二階に泊った青森の中学生に面会に来た人たちが長っちりで、なかなかまだ帰りそうにない。これは東北人の気質です。客気質でございます。秋田、青森といった方面から先ず

百人の学生が来るとすると、尠《すく》なくとも百人の面会があると思って間違いない。その団体が到着するに先だって、しきりに電話で問いあわせがある。それも簡単に言えばいいものを、律儀《りちぎ》一遍に詳細にわたって事情を述べる人がある。たとえば、私ども夫婦は秋田の生れだが、かつて青森県の某町の営林署に勤務していた当時、懇意に願っていた何某さんという人のお子さんで某という学生が（まだ会ったことは一度もないが）本日お宅へ到着するということだから面会に行くと電話をかけて来る。だから東北の団体が来ると電話が混雑して通話に差支えるので、そのために電話口で怒りだす人もある。女中や中番などに至っては、小便に行くことも出来ないほど応接に忙しい。某学校の某教室の誰それが来ているか、某君はいるかということだけでもう大変な騒ぎです。いちいちそれを部屋に取次ぐのは、とても重労働で叶《かな》わない。現在は客座敷にスピーカーや電話をつけておりますが、昔は団体客が来ると面会人の扱いだけでも旅館じゅうの大騒ぎでした。関西以西から来る団体の場合なら、百人の客に対して面会は十人に足りないのが通例でございます。

気質の地方色と言ったらいいか、地方型と言ったらいいのでしょうか。東北と関西《にしまえ》では、学生が自分の下駄《げた》ひとつ探すにも風儀が違っている。オクスケ《おくすけ》は黙って、じっと見て探している。騒がないし、人の手を借りようとしない。ニシマエの特にせっかちな人と来ると、ろくに探しても見ないで「番頭はん、私の下駄が無くなった。どうしたんや」「それです」と言うと、それだとわかっても「そうだったかいなあ」と上の空で言うのがある。今年の春、関西方面の高校生で「わしの靴がない。新しい靴じゃ。馬鹿《ばか》にするな、弁償してくれ」その学生、かんかんになって怒りだした。あとで出発のとき引率の先生立会いで調べると、雨が降ってよごれたばかりに自分で間違っていたという話もありました。

そこで山田紡績の寮生のことですが、二階から万年さんが降りて来ると、同時に玄関の硝子《ガラス》戸を手荒く明けるものがありました。山田紡績の寮生たちの一つの班で、そのうちの一人が、連れの背の高い女に負ぶさって、負ぶってる方も負ぶさってる方も顔が蒼白《そうはく》でした。

「おや、どうなさいました、御気分でもお悪いんですか」

私が帳場から出て行きますと、

「足が折れたんです。寮長さんに報告して来ます」

と寮生の一人が、階段を駈けあがって行きました。

怪我《けが》人は、取敢《とりあえ》ず洋式応接間の長椅子《いす》に臥《ね》かせまして、中番に言って近所の接骨医を呼びにやりました。そこへ二階から於菊と目付役の年増女がやって来ましたが、目

付役の女は、保健衛生の先生だそうだから落着いたものでした。怪我人の痛がる足首を両手でこねまわしながら、

「これは骨折ではありません。単なる捻挫《ねんざ》です。何です、うめき声なんか出して。すぐ手当しますから、しゃんとなさい。元気を出しなさい」

と叱《しか》りつけ、私に聞くのです。

「番頭さん、この旅館の料理場に、鰌《どじょう》はございませんか。柳川《やながわ》にする鰌、ございませんか」

「鰌と申しますと、お怪我なすっているお客様が、召しあがるんでございますか」

「いえ、どう致しまして、患部に貼《は》るんでございますよ。鰌を三十尾ばかりと、それから、鰌を上手に割く料理番はおりませんですか」

「料理番は通勤でございまして、もうとっくに帰りました。失礼ですが、さっき骨つぎ医者を呼びにやりましたから、間もなく参ると思います」

「それでは、改めて私から番頭さんに伺いますが、誰が番頭さんに骨つぎ医者を呼んでくれと頼んだのでございます。寮生の肉体上のことで、会社から万事の責任もたされているのは私でございます。寮生の保健上のことで、私が番頭さんに頼んだのは、鰌を三十尾と、鰌を割く技術者がこの旅館にいるかいないか、ということでした」

ねっとりとした口のききかたでございます。

はて、どうしたものだろうと私は戸迷《とまど》ったものでした。柊元旅館に住込みの皿洗いは、まだ新米で鰌は割けないし、近所の旅館から料理番の融通を受けるのは柊元旅館の沽券《こけん》にもかかわることだ。この近所で鰌屋といえば、後家横町の入口の道ばたで割いて売っている鰌屋だが、これは昼間しか姿を見せていない。はて、どうしたものだろうと、さっきから部屋の隅の椅子に腰をかけていた万年さんの顔を見ると、

「おれ、一と走りして、その技術を持ったエキスパートを呼んで来る。ついでに鰌を貰って来る。三十尾あればいいんだね」

と、さっと立って出て行きました。

それで鰌のことは万年さんの配慮に任すことにして、包帯や鋏《はさみ》などは帳場の救急箱から出して置きました。中番の呼びに行った接骨医者は留守だったとのことで却《かえ》って幸いでした。こんなどさくさのときは、私は家のなかを隅から隅まで見てまわるのが昔からの癖でして、調理場、従業員の寝室、女中部屋、湯殿、あんどん部屋は勿論《もちろん》のこと、階下の客間も二階の客間も見てまわりました。すると学生たちの消灯後にもかかわらず、階下の小部屋をあけて見ると、五人の高校生が車座になって花札を引いている。五人とも、ぎょっとしたようでした。

「ハチハチですかね」と、ひそひそ声で聞くと、

「コイコイやってるんや。先生に言うたら、あかんのやで」

一人が、ひそひそ声で言って、五人とも素早く立って出て行きました。この部屋には、灰皿が無いので、床の間の青磁まがいの香炉を代用に使っていた様子で、香炉の蓋《ふた》の狛犬《こまいぬ》の口から煙を吐いておりました。腹立ちまぎれに座布団《ざぶとん》を蹴飛《けと》ばすと、こぼれて落ちたのは、ろくでもない一枚の「萩《はぎ》」の丹《たん》でした。

「縁起でもねえ」

その札を引裂いて、スタンドの電球も、吊《つる》した電燈《でんとう》の球も取りはずし、真暗な中でそれを額の裏に隠しておきました。

階下へ降りて見ると、万年さんはもう鮪を仕入れて来て、場所もあろうに応接間で誰か鮪を割いているところでした。於菊も保健衛生の先生も、数人の寮生と共に物見だかくそれを取囲んでいましたが、鮪を割いている技術者は、思いもかけぬ水無瀬《みなせ》ホテルの高沢でした。床の上に、いきなり俎《まないた》を置き、胡坐《あぐら》をかいて庖丁《ほうちょう》を使っている。この男に、こんな腕前があろうとは案外でした。

「どうも御苦労さん。しかし器用なもんだね、まるで玄人《くろうと》だな」

私は正直なところを言いました。

高沢は上目づかいに私に目くばせして、つづいて鮒を割きながら出まかせに喋るんでございます。御承知の通り、こいつの常の癖なんでございます。

「あたしは昨年まで、駒形《こまがた》のどじょう屋にいたもんですからね。でも、駒形にいたときは、あたしは千葉の蓮池《はすいけ》の鮒しか割きませんでした。何と言っても、鮒は葛西《かさい》の蓮池のでなくっちゃあ、割いた気がしねえ。池の水が、夏も冬も平均しているところの鮒に限るんだ」

割いたやつを平皿に載せまして、次に小笊《こざる》のなかの鮒を一尾、俎につまみ出す。

「この鮒、秋田か山形あたりの旅のものだね」

器用に鮒の鰓《えら》に目打を打ちこんで、

「こう縞目《しまめ》があっちゃあ骨っぽくて、肉が六分とは留まらねえ。五分八厘《りん》というところだな。千葉の黒のダイドウなら、六分七厘は十分に留まるんだ。こいつはチュウにしちゃあ少し小さいが、まず皿盛りで売る代物《しろもの》だね。ちゃんとした鮒屋なら、コマとして味噌汁《みそしる》の実だね」

割いたのを平皿に入れ、次にまた一尾つまみ出して、鮒の骨格について喋りながら割いて見せるんでございます。

「鮒の鰓の付根には、ぐりぐりの骨の玉が二つある。目打をこの玉の間に打ちこむと、この通り鮨はのびてしまう。脊骨《せぼね》は、頭から腹のここのところまで三角の筒形だ。ここから先は平らになっている。だから庖丁を、ここでこう向ける」

それで背が割ける。背を割くと割庖丁《さき》を後ろに向けて、刃先で腹を逆に撫《な》でてあげる。そのとき鮨が「きゅう」と泣く。次に、臓物と卵を人差指で掻《か》きとって、骨を取るついでに尻尾《しっぽ》を切りすてる。庖丁を逆さにこいて行って頭を切りすてる。

三十尾ほどの鮨が大体半分まで割かれたとき、保健衛生の先生が寮生たちに言いつけて、それぞれ縫物針と糸を持って来させました。怪我人の患部の区域が広いんで、割いた鮨を栗鼠《りす》のオーバアのように何尾もつなぎ合せて患部に巻きつけるんだというのです。

「捻挫にそれを貼りますと、百発百中、ぴたりと痛みが止まります。みなさん、その鮨を糸で、こんな形に縫いあわせていただきます。これが実物大の寸法です」

保健衛生の先生がそう言って、半紙大の紙を縦長の二つ折にしてテーブルの上にひろげると、寮生たちはテーブルの上に新聞紙をひろげ、割いた鮨をその上に並べて分業で縫いはじめました。私、それとなく様子を見ていましたが、寮生たちのうちで舌を出す者は一人もなく、至極まじめな顔で裁縫に取りかかっているようでした。

怪我人は長椅子の上に仰向《あおむ》けに臥たままで、ときどき切なさそうに大きな息を吐いておりました。でも、いつの間にか花模様のついた膝掛《ひざかけ》をかけてもらって、於菊にやさしく手をさすってもらっているのでした。

高沢は鮨を割き終ると手を洗いに立ったので、私は後を追いかけて煙草《たばこ》をすいつけてやりました。やっこさん、調理場の流しで手を洗いながら、顎《あご》をしゃくって私にこんなことを申します。

「お前さん、今晩のところは、おれと一緒に辰巳《たつみ》屋で飲み明かした方が無事だろうぜ。さもないとお前、どんな不体裁をやらかすかもわからねえ。あの女、監視つきだという噂じゃないか」

私、それもそうだと思いました。

「おれは辰巳屋で見てとったが、お前、ただ膝を突きあわすだけで固くなってたね。あんなの、つまらねえよ。あの程度の品行方正のことしか出来ねえのかよ、お笑い草だ。驚き入った木偶《でく》の坊《ぼう》だ」

しかし理論と実践、軍学と実戦、誰だって一致させられるわけではない。

あぶないときには外へ飲みに行くという一つの手――これは誘惑の多い添乗員《てんじょういん》たち

のよく用いる方便でございます。団体客を案内する添乗員は、旅館に泊ったときには気まぐれな女客に変な真似《まね》を仕向けられることがございます。そんなとき、客の要求に応じていると飯の食い上げですから、うまくすっぽかして外へ飲みに出かけます。この手を用いることは、今や堅気な添乗員たちの間では、これまたお客への密《ひそ》かなサービスであるとしているようでございます。いつぞや万年さんも関西方面の学生団体を案内して杮元《くきもと》に泊ったとき、変質な男学生の要求を手荒くしりぞけた結果、矢庭にその学生から足蹴にされたことがありました。これは引率の先生には知れないように、万年さんがその学生を外に連れ出して、がんと一発くらわして勘弁してやったということでございました。

万年さんは大学生といっても、添乗員としてアルバイトするときには古ぼけた背広を着ておりますが、むさくるしげなところがまた青年男女の親愛感を呼び起すのではないかと思われます。去年の春は、万年さんの寝ている小部屋に高校生団体の一人の女子学生が忍びこんで、「ここに寝かせて頂戴《ちょうだい》、スリルがあるから」と言ったそうでした。万年さんが、「他人の部屋に来てはいけない」と言い聞かせると、「今、いやな子がいる部屋の前を通らなくては、私の部屋に帰れない。あの部屋の前を通るのは、いや。もう帰れなくなった」と駄々をこねて眠ったふりをしてしまったので、万年さんは持てあまして私のところに注進に来たことがございます。

こんなのは私どもとしても迷惑です。二階の添乗員の寝る小部屋から、大広間の前を通らずして表側の広間に引返すには、裏階段を降りて裏手の通用門から出て、表玄関にまわらなくてはいけないんで、私は起きて玄関の硝子戸を明けて待っておりました。夜ふけのこととて、こっそり明けて立番していなくっちゃなりません。しばらくすると、ドテラの上にレンコートを羽織った万年さんと、ドテラを着た女子高校生が玄関にはいって来て、

「やあ、遅くなってすみません。この学生さん、道に迷ってたからお供して帰りました」

と万年さんが、ひそひそ声で言うと、

「イットレーン、インマイハー……」

それから何とか何とか、女子高校生は外国語の鼻唄《うた》で、スリッパをはかないまま足音のしないように階段をあがって行きました。洒々《しやあしやあ》としたものでした。一方また、羨《うらやま》しいほど無邪気な素振のようにも見えました。

私は玄関を締めると、万年さんと階段の上り口のところに立って二階の気配に聞き耳を立てました。トイレの扉を手荒く明ける音、やがて手荒く締める音、あとは森閑

となったので、

「無事、滑りこんだらしいな」

と申しますと、万年さんも胸を撫でおろす真似をして、

「こんなの、お互にこれも身すぎ世すぎだね。サービス、サービス」

と言うのでした。

それで私、改めて万年さんに寝酒として、特級酒を一本つけて労を慰めてやりました。

玄関で女子高校生の口ずさんだ鼻唄は、万年さんの解説によりますと、英語で「あたしの胸に雨が降る……」という意味だそうでした。その次を何と言ったか万年さんも聞きとれなかったとのことですが、どうせ英語とはいっても棄《す》てぜりふだ。ろくな文句ではなかったろうと存じます。

万年さんの話では、団体客のうちで変な素振をする女の子は、たいていその一団のうちで下積みにされている子だそうでございます。引率の女教師の場合でも、車中なんかで煙草や果物を買ってくれたり曰《いわ》くありげなことをたずねるのは、たいてい教師仲間でも頭のあがらない手合だと申します。旅は浪漫的だと云《い》うし、学校で下っぱにされてる者は遣《や》りきれないだろうし、つい旅先では驥足《きそく》を展《の》ばしたくなるんでござい

ますね。

添乗員たるものは、アルバイトでやってるなんて言ったら信用にかかわるので、絶対に口外しないことになっているそうです。若い女先生から、「あんた、どこの学校を出たの。奥さんあるの」なんて聞かれても、「えへへへ」と話をごまかしておくのだと申します。

「身が危いときは、汽車のなかなら車掌室へ行く。旅館なら外へ飲みに行く。それが我が旅行社の不文律だ」

万年さんがそう言っておりました。

一方、私ども番頭商売の者に於《お》きましては、そんな不文律なんてものとは縁もゆかりもございません。でも私、水無瀬ホテルの高沢の意見には十分に耳を傾けたことでした。

「いいかね、あの女が、もし今晩この旅館のお客でなかったら、俺はお前に何も言わねえよ。しかし、この旅館の歴乎《れっき》としたお客さんだ。今晩のところは飲みに出た方が含みがある。すると、後日の運びを円滑にすることにもなるわけだ。では、涙をお飲みになって、そういうことに致して頂きますかね」

半ば宥《なだ》めるように申しますので、私は下帳に万事を一任して、高沢と連れだって後家横町の辰巳屋へ参りました。

先客は一人だけ、私の顔見識《みし》りの鰌《どじょう》屋が飲台に片肘《かたひじ》ついて酒を飲んでおりました。日頃、この横町の入口で、道ばたに鰌店を出して割売《さきう》りしている男です。いつも丸坊《ぼう》主《ず》に剃《そ》った頭に、ねじり鉢巻して、「ええ鰌、鰌。鰌が安いよ安いよ」と呼び声をあげている男です。

高沢がこの男を私に紹介して、

「さっき万年さんは、この鰌屋さんから鰌を譲ってもらったんだ。代金は、柊元旅館の払いということになってるよ」

と言ったので、私が鰌三十尾ぶんの代金を支払うと、相手は「鰌の供養《くよう》として納めます」と、そのお金を棚の招き猫の貯金箱に入れ、

「柊元旅館のお客さまは、鰌を外科療法にお使いになるんだそうでございますね。おかげで、水無瀬ホテルの番頭さんは、ここでお飲みになっていたところ、鰌を割くために万年さんに拉《らっ》し去られる事態に立ち至りました。しかし、果して鰌は、捻挫《ねんざ》の患者に薬用品として有効なのでございますか。私はそれを信ずる点に於《おい》て、いささか難色がございます」

と、いやに擽《くすぐ》りを入れて回りくどい口をきくのだね。

私は妙なやつだと思いましたが、

「然《しか》るべき人の仰有《おつしや》るには、百発百中、ぴたりと痛みが止まるそうですな」

と返答しておきました。

見たところ、鮨屋は六十前後、ベレー帽をかぶり、小ざっぱりした灰色のセーターを着て、持参の肴《さかな》に違いないイカの塩辛を入れた蓋物を前に置いている。イカの黒づくりを入れた蓋物も置いている。いずれも手製の塩辛と見え、線香のように細く長く切ってある。それを爪楊枝《つまようじ》の先に一本ずつ引掛けて仰向いて口に入れる。そうして、忙しく咀嚼《そしやく》した末に、舌鼓《したつづみ》を打ってから、盃《さかずき》をふくむ。そういったやりかたで飲みながら、高沢の軽口に相槌《あいづち》を打っている。

この鮨屋の名前は、竹原さんと言い、鰥寡《かんか》孤独の身で、オデンのフクロを製造する家の二階に下宿しているそうでした。辰巳屋のすぐ裏手です。以前、この人は九州で町役場に勤めていたこともあり、東京に出てからは保険の勧誘員をしていたこともあり、アサリの佃煮《つくだに》製造工場の事務員をしていたこともあり、鮨屋になったのは戦争前のことだそうで、一昨年あたり、高沢は辰巳屋で酒の上の話から、この竹原さんに鮨の割きかたを教わるために師弟の関係を結んだのだそうでした。

「竹原さんの前でそう言っちゃあ何だが、今日は、俺は一度も縮尻《しくじ》らなかったぜ」

高沢は鰌に目打を打ちこむときの手つきをしながら、

「ねえ、師匠の前だが、こうして挟むのに、小指と親指で尻尾の方、人差指と中指で頭の方、この指をずらして目打の先をこう受けて、チョンと打つ。一度だって縮尻らなかったぜ。しかも柊元旅館の、婦人客のお声がかりだ。みんなの見てる前で、俺は、竹原さんの代理として出張して、実に遜色《そんしよく》がなかったもんだ」

「左様、目打をチョンと打つ。その瞬間、小指と親指の腹に、鰌の肌が擽ったく感触されますでしょう。何とも言えず、心地よい感触でございますね」

「そうかね、俺はそこまでは感じないな。まだ至芸に達してないのかもわからねえ。では師匠、生きのいい鰌の、大きなやつ、二三尾ここへ持っといで。いや、一尾でいい。それから、割《さき》包丁と目打を持って来な。至芸に達するまで、講習の受けなおしだ」

「では、今晩もまた講習でございますか」

竹原さんが席を立とうとすると、

「お止《よ》しなさいよ、スタンドが生臭くなって困りますから。ここでは駄目。いい年して馬鹿《ばか》みたい」

と、辰巳屋のおかみが愛嬌《あいきよう》笑いを見せながら、

「鮨割きの講習なら、今まで通り竹原さんの下宿で願います。至芸に達するなんて、感覚の鈍い人に出来っこありません。スタンドで鮨を割くなんて言う人、どうせ感覚はゼロですよ」

「おや、俺のことかね」

と寧《むし》ろ高沢は悦に入り、

「いつ、俺の感覚がゼロだった。感覚の上で、おかみさんに恨みがましく言われる覚えは、俺にはねえ。俺の感覚たるや、上下左右、古今東西にわたって、くまなく働くんだ。他の男にくらべて遜色はねえ筈《はず》だ。もし嘘《うそ》だと思ったら、おかみさん、お試しなすって」

そう言って、おかみに「あら、いやらしい」と顔を顰《しか》めさせ、

「ぶつわよ」

と、打つ真似をさせたことでございました。

もはや、看板の時刻をすぎていましたが、鮨屋さんが引きあげると入れ代りに万年さんがやって来て、

「俺、ちょっとばかり横にならしてもらうよ。横になったまま話を聞いてるからね」

と、階段の上り口の一畳敷のところにレンコートを投げ出して、ごろりと横になり

ました。

おかみは暖簾《のれん》を入れ、硝子《ガラス》戸に黒い幕を引き、明りは電気スタンドだけにして、

「今晩は、あたしのところが夜警ですから、少しぐらい明りをつけてても大丈夫よ。でも、大きな話し声だけは遠慮してね」

と言って、裏口から拍子木を鳴らしながら出て行きました。

カッチ、カッチ、カチ……。高沢は、じっとその音に耳を傾けていましたが、

「ねえ万年さん、あの拍子木の音は、お前さんの研究の対象というやつにする価値があるのかね。——なあんだ、もう眠ってやがる」

そう言って、万年さんの研究しているという拍子木の音について、私に喋《しゃべ》って聞かせました。

それによると、この後家横町におけるおかみさんたちは、自分の店に好きな男が来ているとき夜警に出ると、拍子木の叩《たた》きかたを変化させる傾向がある。それも、大体において二種に分類することが出来る。Aの部類に属するおかみさんは、好きな男が来ているときには、わざと稚拙らしく鳴るように叩きながら、だらしない足どりで歩く。Bの部類に属するおかみさんは、出来得る限り規則ただしく叩いて回る。これは、その人その人の性格によるものだが、だから普通のときの拍子木の叩きかたを第三者

が覚えておくと、今日はそのおかみさんの店に好きな男が来ているかどうか音で判断できる。但《ただ》し、A型の部類に属する者は、概《おおむ》ねしんの弱い女か苦労の足りない女である。B型の部類に属する者は、男のためには火達磨《だるま》のようになる女か、或《ある》いは献身的な女だというのです。

この分類の仕方は、もう辰巳《たつみ》屋のおかみも聞きかじっているようでした。夜警をすませて帰って来ると、高沢に言うのです。

「あたしの拍子木の叩きかた、いつもと違ってたでしょう。カッチ、カッチの音、いま聞いてなかった？　万年さんの研究では、あたしはB型の部類なんですって」

「B型だとしたら、上手に叩かなくっちゃ、色けがねえわけだろう」

「だから、上手に叩いたわ」

「つまり、サービスの音を聞かしたと言うつもりなんだろう。その実、いざ旦那《だんな》が来たというときの、カモフラージにきまってるよ。カッチ、カッチ、カチ、カモフラージ、カモフラージさ」

万年さんが不意に寝返りを打って、

「おかみさんはAの部類だよ、A型だ。B型は、お隣の楽々亭のおかみさんだ」

そんな独りごとを言いながら、レンコートを頭から引っかぶりました。

でも、万年さんは狸寝入《たぬき》りをしていたわけではなく、横になったまま話を聞いていたのです。およそ添乗員という職業の者は、うつらうつらの居眠りの名人でなくてはなりません。観光シーズンになると、ひどいときには一日四時間か五時間くらいしか眠らない。寝溜《ねだ》めをする必要がございます。万年さんは小さな会社に雇われているんで、添乗員と言っても謂《い》わゆるラナーと添乗員を兼ねてるようなものなんだね。駅から旅館、旅館からバス会社と飛びまわり、たとえば今朝ほど上野駅発の一番列車で団体客を処理すると、その足で東京駅へ飛んで行って次の団体をお迎えする。それを旅館に送り届けると、引率の先生の御機嫌をとりむすび、生徒が寝て先生が寝てしまってから漸《ようや》く眠りにつく。翌日は、バスでその団体の東京見物のお供をして、東京駅で処理すると、すぐ会社に駈《か》けつけて書類を渡して待機しているというように、多忙を極める生活です。

これは余談ですが、ラナーとは英語のランナーの詰まったもので、駈けずり回るからこの言葉が出たと申します。観光シーズンになると、東京駅とか上野駅の溜りに詰めかけて、団体客を改札口から誘導して団体バスに乗り込ませて旅館に案内する。翌日はその団体を駅へ見送った後、再び溜りに控えている。これがラナーでございます。大体、ラナーとか添乗員は、駅員に顔がきかなくては埒《らち》が明きません。団体の席をとるためには、駅のホーム助役に頼んで団券提示というのをやりますが、運が悪いと中学生の団体ならワンボックスに六人掛、七人掛ということもあって、これは旅行社としても添乗員としても、お客の信用を失う大きな原因の一つになるんで、人員を書入れる団体券を買うとき四百人の団体なら四百八十人とか四百九十人と書いて申請する。すると国鉄の方でもこちらが水増ししているのを推察して、一団体くらい余計に他と契約したりしていることもある。つまり列車によって当り外れがあるんで、その山を見究めるのが難儀です。一車輛《しゃりょう》八十八人乗りで概ね十三輛連結だが、国鉄は一・五倍ぐらいの人員で団体を乗せていることがございます。ですから、〇・五の人員の何割かは、立つかまたは窓に尻《しり》を突き出して腰をかけている。もし汽車に事故が起ったら、死んだり腕を折ったりするのは、多くは立っているか窓に尻を突き出している生徒だね。添乗員たる者の責任は重大です。ホーム助役を口説き落すために進物を届けるのは、人道上から言って決して悪いことではない。この詭弁《きべん》は常に添乗員の悪習を弁護してくれている。それが万年さんの平素の言いぶんでございます。

無論、添乗員の社会というものも、現代社会の縮図のようなもので、あんまりがらのいいものではございません。一名をゴミ屋と言われ、ぱかぱか駈けまわるので馬とも申します。収入が手加減次第でいろいろさまざまで、しかも相手が旅空にいるのだから、そこに乗じてあくどいことをするやつがないとも限らない。

この社会には、たとえば「いやさかえつうりすと」というような暗号がありまして、団体券の裏に割戻しのパーセンテージを「え」とか「つ」の記号で記してあるのが普通でございます。これは旅館から貰《もら》えるリベートでございます。

バスの場合のリベートは、山道を行くコースだと三パーセント、東京や京都の市中なら十パーセント、バンガロー行が十パーセント、土産物屋からは五パーセント、観光券のクーポンで五パーセント。だから添乗員は、たいてい団体客に国鉄を使わせたがらないでバスに乗せたがる。あくどいのになると、今ではそうではないが、以前はなるべくバスを乗換えるようなコースを考えて、説明案内のバスガールに遣《や》るチップを出させ、その上前をはねるのがいたそうでございます。

以前なら、個人の添乗業者が東京で二つか三つの学校を受持つと、ほそぼそながら暮して行けたものでございます。一年間にリベートの総計四十万や五十万は入るので、学校の先生に会ってうまいことを言って団体旅行の勧誘をする。旅館へ行って、団体を入れてやるからリベートをよこせと言うと、旅館でも悪い顔はしない。しかも添乗員は、旅館へチップを払う権利があるから上前をはねる。バスなら上野駅前を振出しに、都内一周八時間の計画をたて、水増しして前金をお客から貰っておく。同時に添乗費を一人ぶん頂いておく。添乗員の乗車賃も計算に入れておく。旅館に泊るときにも、勘定書に自分の宿泊料を加えておく。しかし添乗員であって、旅館に宿泊料を払うようなお人好《よ》しはいない。バスで案内のときには必要以上に何度も乗換えさせ、見学の入場料は受付の女の子に割前をやる約束で三百人の団体なら二百人ということにする。そんなような個人業者がいたそうでございます。

はなはだしいのになると、尤《もっと》も今はこんなのはいませんが、団体客の幹事から金を受取って逃げてしまうのもおりました。バスでビルヂングの前を通りすぎてしまってから、「只今《ただいま》のビルが、私どもの本社でございます」と嘘の説明をするのもおりました。刺身の料理など、一ときれ減ったくらいではお客には分らんし、特級酒が一級酒になっても分らない。旅館に泊るとき、一畳につき一人あて余計に追い込んで、千二百円の宿泊料を旅館に交渉して七百円ぐらいで上げさせるやつもおりました。まるで雲助だね。但し、重ねて申しますが、これはみんな過去にあった話としてお聞き下さるように願います。

つい私、余計なことを申しました。私どものように団体客を迎える旅館の番頭は、従来、ずいぶん添乗員のお行儀を気にかけていたからでございます。でも、私という人間は餓鬼のときから宿屋の飯をくって来た人間だ。万年さんが出入りするようになる以前でも、ラナーや添乗員に手を焼くなんて、そんなことがあるわけもねえ。してやられたことは一度もない。実際、一度だってそんなことはございませんでした。

ざっくばらんに言って、万年さんという人は、番頭稼業《かぎょう》の私には誠に得難く重宝な人間だ。無言のうちに団体客の信用を獲得する術《すべ》を心得ている。ことに遺族団体なんかのような、堅気で律儀《りちぎ》なお客さんのときは、特に深甚《しんじん》なる信頼を博するのだ。遺族団体というのは宮城の草むしりをする団体で、一年前に申し込まなくっては駄目なんだ。一昨年、万年さんはその団体を連れて来たが、そのときばかりは万年さんも添乗員として如何《いか》にも拙いごまかしをして、しかも口をぬぐっていたから驚きました。

遺族団体が夕飯を兼ねて宴会を開いていたときでした。折から私はその席へ御挨拶《あいさつ》に伺っていましたが、その団体の一人が「添乗員さんや、マンボというものを見せてくれ」と万年さんに言った。それで私が「マンボの踊子を連れて来るのでございますか」と聞くと、「いや、添乗員さんに踊って見せてもらいます。この団体のうちで、誰もマンボを見た者はいないので」と言う。すると、団体の大半が、見せてくれ見せてくれと言い出したので、万年さんは何事もサービスだと度胸をきめた風でした。

「では、女中にマンボのレコードを買って来てもらいます。その間に、私は階下で支度をして参ります。暫《しば》くお待ちを願います」

と言って階下へ降りて行きました。

私は万年さんがマンボを踊れるのだと思っていましたが、階下へ降りて見ると、帳場の入口のところで万年さんが中番《なかばん》をつかまえて言っている。

「俺は、酋長《しゅうちょう》の娘なら知っているが、マンボは知らないんだ。ローレライの踊とマンボは似てるのかね。何でもいい、似てるのを教えてくれ。簡単なやつ早く教えてくれ」

中番も万年さんと同じく、マンボの踊り方は知らないのです。

「私はマンボは見たことがないんですが、楽団の者が、ウーとかアーとか言ってるようですね。踊る者は何も言わないようですね。酋長の娘なら、私も知ってるけれど」

中番が酋長の娘を踊る手つきをして見せると、万年さんもそれに合せて手を上げ下げするのでした。

「女中の羽織でも引っかけたらどうだ」

と私は見かねて言いました。

「派手な羽織がいいぜ。せっかく、支度をして来ると言って、階下へ降りたんだ。だが、俺もマンボは見たことがねえ」

万年さんは「身すぎ世すぎ」と言って女中部屋の方へ駈け出して行きました。

結果は見なくってもわかりきっていますので、私は帳場にはいって伝票の整理をしていましたが、いくら身すぎ世すぎとはいっても、無茶だと思ったことでございます。二階の大広間から聞えるレコードの音楽に、ウーとかアーとかいう掛声みたいな叫びが混っておりました。音楽が止《や》むと拍手が起って、いかにも盛大な宴会のようにも思われました。

かなり夜が更《ふ》けていました。

「あたし、もう一と回りして来ます。でも、大きな声だけは御遠慮ねがいます。——火の用心、頼んだぞ」

辰巳屋のおかみは拍子木を取ると、そんな台詞《せりふ》を付けたして二回目の夜回りに出て行きました。カッチ、カッチ、カチ——という規則ただしい音でした。

高沢は私の気持が儚《はかな》くならないように、さらにまた、私の気が引き立つようにと、頻《しき》りに努めておりました。

「俺の比較研究によるてえと、かくのごとくにして、これこれしかじかだ」

そんな前置きで、おかみの受け口の恰好《かっこう》と髪の生え際《ぎわ》との比較研究というやつを軽

口まじりに盛んに弁じたてました。例によってべらべらと喋《しゃべ》ります。果ては、棚の上の招き猫を取ってスタンドに載せまして、

「こいつだって同じことだ。こいつが、好色漢か好色漢でねえか、この寸法を計ればわかるんだ」

と、杉箸《ばし》でもって、その泥細工の猫の鼻の下の寸法を計るやら顎《あご》の長さを計るやら、もう滅茶苦茶《めちゃくちゃ》でした。そこへ、おかみさんが帰って来て、

「あら高沢さん、いやですわ。駄目です、いけません」

と、招き猫を奪って胸に抱きしめました。それが、いかにも艶《えん》なるものに見え、また、どうにもナフタリン臭い恰好のようにも見えました。で、高沢が図に乗って、

「春の夜や、いやです駄目です、いけません」

と即吟して、やがてその意を解したおかみさんに、「ふふふ」と恥ずかしそうな含み笑いをさせたことでございます。

おかみさんは、招き猫を飲台に置き放したままお燗《かん》をつけ、

「お二人とも、おなかがお空きでしょう。いため御飯でもつくりましょうね」

と、ハムを切る支度にとりかかりました。高沢は、その庖丁《ほうちょう》の使いかたを見て、

「おかみさん、あんたがハムを切るときには、口をとんがらかせるね」と混ぜ返し、

「あんたが蒲鉾《かまぼこ》を切るときには、口を左から右、左から右にと動かすね。見る者をして、ちょいとノスタルジヤというやつを覚えさせるよ。御自分でそれに気がついているかね」

おかみさんは「おいろけが無いということなんでしょう」と受け流すだけでした。私、おかみさんがハムを刻む口もとを見て、その口もとと招き猫の口もとが、何だか感じにおいて似てるようだと見ておりました。するとおかみさんが、ふいと私の方を見て、

「その招き猫、右手を挙げておりますでしょう。右手を挙げている猫は、左手を挙げてる普通の猫より、お値段がお高いんですってね」

そう言われてみると、なるほどそうなんでございます。招き猫はたいてい左手を挙げているようだが、どうして右手を挙げてるやつは値段が高いんだ。右手のやつを珍品として売出しているのかもわからねえ。

私、招き猫というものは、室内の置物として虫が好かないんでございます。派手な生々しい色でもって、ぺたりぺたりと色づけされておりまして、どこに置いても目に立つくせに、地味を通り越しているような代物《しろもの》としか思われない。こいつを、ピアノの上に置いたとしたらいかがなものでしょうか。ぷッと噴き出す婦人もいることでご

ざいましょう。

招き猫にもいろいろ種類があるかと思いますが、辰巳《たつみ》屋のは、素焼を白い泥絵具で塗りつぶした地で、目は黄色、鼻はピンク色、口は黒、胸につけている鈴は金色、首たまは赤でした。三毛でございまして、褐色と黒との大きな斑点《はんてん》を、どさりどさりと置いてある。裏返しにして見ると、底に丸い穴をあけて紙を貼《は》りつけてある。この紙を剝《は》がして貯金を取り出すわけなんで、猫の頭のてっぺんにお金を入れる穴が細くあけてある。

「ちかごろ、たいていの飲屋で招き猫を置いてるね。やっぱしこれも流行かね。飲食店組合の申合せかね」

おかみさんに訊《たず》ねると、横あいから高沢が、

「いや、招き猫は、たいてい旦那《だんな》が持って来るよ。ぼろくそ旦那が持って来るもんだ。この店のだって、ぼろくそ旦那が持って来たに相違ねえ。さもなけりゃ、ぼろくそ旦那と一緒に、縁日の帰りに買って来たんだ。おかみ、図星だろう」

と混ぜ返して、歌の文句を口ずさむ調《よ》子で、

「ぼろくそ旦那は止してくれ、私の真実、買ってくれ。ぼろくそ旦那は止してくれ、私の真実、買っとくれ……」

と、酔っぱらい声で囃《はや》したてるのでした。

おかみさんの話では、辰巳屋の招き猫は町内の顔役が開店祝いに持って来てくれたもので、いやでも店に飾っておかなくっちゃいけない。顔役またはその一統の人が来た折に、招き猫が店に置いてないと顔役の顔をつぶしたことになる。だから、こんな泥細工のチンドン屋みたいな猫は、嫌で嫌でたまらないけれど飾っているわけだと申します。

「もう、義理が意地になっても、置いとかなくっちゃ。お店が大事ですからね。世の中には、死ねない義理というものだってありますもの」

おかみさんは、不意にそんな激しいことまで言いました。私は「ここでも、何かやってるな」と漠然と思ったことですが、どんな商売していたって、ちょいちょいこの種類のものが何かしら頭を擡《もた》げるものでございますね。

「この猫、いっそ毀《こわ》したらどうだ。あれは毀れましたと言えば、親分も文句ねえだろう」

私がそう申しますと、以前この店によく来ていた客でハアさんという中年者が、招き猫を拳骨《げんこつ》で叩《たた》き毀したことがあるそうです。でも、後難というやつが恐《こわ》いので、毀した猫と同じ型の猫を買って来て、前のと同じく肩のところにしみをつけ、同じく古ぼけて見えるように桐《きり》の木の皮でくすべたということです。

ハアさんという客は、書画骨董《こっとう》の話に詳しくって、その方面の雑な品物の売り買いとか仲介を商売にしていた人で、ひところは辰巳屋の常連の一人だったということです。酔うと気の強い正義漢になるので、あるとき泥酔《でいすい》した挙句、「この店に、あの招き猫がいるのは玉に疵《きず》だ」と言って拳骨で猫を叩き毀した。しかし、開店祝いに親分がくれた猫だから、後難がおそろしい。翌日、おかみさんが新しい招き猫を買って来ると、それから四五日してハアさんが来て新しい猫を黙って見ていたが、ふらりとどこかへ出て行って桐の木の皮を持って来た。

下駄《げた》屋かどこかで貰《もら》って来た桐の皮でしょう。ハアさんはそれを焜炉《こんろ》にくべて、「本来なら、生の桐の皮の方がいいのだが、まあこれでも間に合うだろう」と言って、招き猫をその煙でくすべ、以前の古びた猫よりもまだ古びた色にしたということです。

私の思いますに、新しい皿や壺《つぼ》を古手のようにして見せるには、生の桐の木の皮を焼いて煙でくすべるのではないでしょうか。ハアさんという客は、新しい品を古物に仕立てる方法を知っていたのではないでしょうか。私の見た辰巳屋の招き猫は、いわばおかみさんが親分から頂いた拝領品の模造品ということになりますが、十年ちかくも台所でくすべられていたような色になっておりました。顎の下のくびれ目や指の叉《また》などにも、くすぶった色が行き渡りすぎているほどでした。

さて、いため御飯を食べた高沢と私は、暫くの間うつらうつらとして、それからスタンドに凭《もた》れて眠りました。目をさまして見ると、畳敷きのところに寝ていた筈《はず》の万年さんが姿を消して、代りに、おかみさんがそこへ横になっておりました。時計を見ると夜明け近くなっている。もう酒なんか一滴だに飲みたくない。お銚子《ちょうし》なんか見るのも嫌だ。あの、がらんとした気持になっていましたので、同じ思いの高沢と連れだって辰巳屋を出ると、高沢の溜《たま》り場にしていた下谷の菜種屋という安宿へ一緒にしけ込みました。

そのころ高沢は、水無瀬《みなせ》ホテルの女支配人が変な男を奥に泊らせていましたので、レジスタンスというのをしているところでした。水無瀬ホテルは株式組織になっておりますが、株主はみんな然《しか》るべき店を持った九人の旦那衆で、そこへ麹町《こうじまち》に自宅を持っている未亡人がホテルの支配人になっておりました。この女は年は四十二三歳、大柄で太ってもいるし弁も立つし貫禄《かんろく》もございます。それが中年の男を啣《くわ》えこんだので、むかっ腹を立てた高沢が、レジスタンスで下谷の菜種屋へ泊りこんでいたのです。そんなことをするよりも、株主の旦那衆のところに御注進と駈込《かけこ》めば直《す》ぐにも埒《らち》が明くんだが、そんなのは卑怯《ひきょう》だから自力で戦うと言って、菜種屋に戦闘本部を置いていたわけだ。水無瀬ホテルの中番や下帳や女中頭などは、入れ代り立ち代りこの本部に情報をもたらして、番頭から指示を仰ぐ一方、番頭の方でも辰巳屋へ出かけて行って連絡をとっておりました。

「ここが俺の御本陣だ。昨日、中番がカステラを差入れてくれたんで、それ食ってから寝ようか。御本陣といったって、薄ぎたねえ座敷だよ」

高沢は二階の部屋に私を案内してくれました。

私たちはカステラを食べてから寝ることにしましたが、実に薄ぎたない部屋で、と言うよりも一ぷう変った部屋でした。畳敷きの部屋でありながら、寝台を二つも置いてある。床の間がなくて、鏡のついたタイルの流しが壁に取りつけてある。壁に嵌込《はめこみ》式の鏡が取りつけてある。一見、普通の鏡と変らないが、よく連込屋などにある例で、壁の裏側から見ると素透しの鏡だと高沢が言っておりました。

「お化の出そうな部屋だな。お化なら出てもいいが、南京虫《なんきんむし》は出ねえだろうな」

そんなようなことで、私は寝台の上に横になりました。

この菜種屋という宿は、よほど前に水無瀬ホテルにいた女中頭が出資者を見つけて経営しているそうでした。ここは東北方面で人買いをして来る者がよく泊る宿で、一人の男が同時に三人も四人も若い女を買って来て泊ることがあるそうでございます。

高沢の言うことに、人買いは酌婦屋なんかへ女を売る前に、どこかの宿屋で女を犯してから売るということです。さもなければ女が人買いの言うままに売られてくれないおそれがある。犯しておいてから売りとばす。ところが女の方も、そうは手易《たやす》く人買いの言うままになるものでない。菜種屋の女主人がそう言っていたというのです。買われて来た女で、器量のいい、賢そうな女に限って、割合に手易く人買いに身を任すという。賢い女は、自分が賢いことを知っているわけなんで、自分は容易に男なんかにだまされないと思っている。自信、うぬぼれがある。だから賢い女は、案外にも変てこな男にしてやられる。駿馬《しゅんめ》は、しばしば痴漢を乗せて走ると申します。すると、私なんか痴漢になるのは造作もないことだから、器量がよくって賢い於菊《おきく》との取りあわせはどうだろう。つい私、そんなことを思いめぐらしたことでございます。

ところが、美貌《びぼう》で賢いのと反対な女を売る場合には、凄腕《すごうで》の人買いも相当に手を焼くことだと申します。容貌に自信のない愚図なのは、男に対して自分には魅力がないと心得ている。はじめ田舎で聞かされた通り、人買いに連れられて堅気な旅館へ奉公に行くのだと思っている。だから、人買いが無法な真似《まね》に及ぼうとすると、「あんた、何するだ」と固くなるのは当り前だ。そこで、人買いは飽くまでも甘言を用いながらつきまとって、その上で「俺はもう諦《あきら》めた。もう安心しろ」と言うかのように、他の寝台に引きとって行く。そうしておいて、夜あけ近くなってから、女がぐっすり寝ているところを急襲する。普通、これが菜種屋へよく泊る或《あ》る人買いの、いつもの手だということでした。

私、菜種屋ではお昼前に目をさまして、高沢と共に駒形《こまがた》の「どぜう」で昼飯を食べて柊元《くきもと》旅館に帰りました。女中たちは私が外泊して来たことを知らない風に空とぼけていましたが、とぼけかたが板についていたのは僅《わず》か二人か三人でした。いずれも世帯を持った経験のある女中でございます。

下帳に聞くと、於菊たちの団体は予定通り出発したそうで、撮影所見物、鎌倉見物、江の島泊りということでした。

「足を捻挫《ねんざ》した客《きやら》、どうしたろう。鮨《どじよう》を貼って効験あったかね」

と聞きますと、

「一緒に出発しました。松葉杖《づえ》をついて行きました」

と申します。

鮨を貼ったから効いたのかどうかわからない。大した怪我《けが》でもなかったと思われます。

でも私、於菊のことでは形の上だけでも大失態をしないで事がすんだので、今となっては何よりであったと思っております。少し負け惜しみのようですが、私としては上出来であったと思います。宿屋の番頭たる者が、お泊りの婦人団体の引率者と云々《うんぬん》云々《しかじか》だとあっては、その宿屋の暖簾《のれん》はケタオチだ。私ども番頭仲間では、ほかに主ある女を寝取ることは、浮気とは別種の大罪として禁ずる不文律がありまして、高沢が私に大事を取らせたのもそのためでした。昔の番頭気質でございます。形の上では私、辰巳《たつみ》屋のスタンドのかげで於菊と膝《ひざ》をくっつけただけなんで、それも高沢の判定では「あの程度の品行方正しか出来ねえのか。お笑い草だよ。お前は木偶《でく》の坊《ぼう》か」という程度のものでした。

後で高沢の言うことに、あの晩は私と於菊が手に手を取って駈落するのを警戒していたということでした。せめてもの私の語り草に、ほのぼのを少し通り越したところで道楽させておくつもりであったというのです。

私としては儚《はかな》い一場の夢として諦めることに致しました。それでも高沢が「お前、東照宮様へお礼詣《まい》りに行った方がいいぜ」と言うので、東照宮の五重塔へお詣りに行きました。傷心した私は、ひところ高沢の言うままになっていましたので、高沢が「お前、見合したらどうだ」と言うので、見合してもいいような気持になりました。

　高沢は易者にも相談して来たんだと言って、頻《しき》りと私に見合を勧めました。

「今年は俺の厄年だ。お前さんの知ってる通り俺は縁起をかつぐ性分だが、易で言えば今年の俺の卦《け》は、山沢損《さんたくそん》といって凶の卦だ。この卦の厄年の者は、友達の結婚の仲人《なこ》人《うど》をすると凶が変じて吉になり、また、その媒酌で結婚する者は、凶が変じて吉になる運勢というものを身につける。だから、俺がお前さんの仲人になるてえと、俺のためにもお前のためにも悪くねえことになる。どうだお前、ここで一つ見合をしてみたら」

　真顔でもって言うのです。

　見合を勧められて悪い気持のするものではない。しかし、厄年で仲人をすると凶が変じて吉になるなんて出まかせかもわからない。

「厄年の男というのは、運のついて回らねえ男のことだろう。つまり貧乏神と同じことだ。そんな野郎の仲人じゃ、ろくなことはねえ。まあ御免を蒙《こうむ》るよ」

「今年、俺と同年の厄年男の卦は、易学で言えば、こういう恰好《かっこう》の卦になるんだ」

　高沢はこんな䷨という卦を書いて見せまして、

「これは山沢損という卦だ。損は減る、欠ける、少くする意味であって、益の反対である。猥《みだ》りに欲を出してはいけない年だ。利潤を損しながら正しきを守っているべきだ。しかしながら、利潤と関《かかわ》りなき事項には、弁才をもって、斟酌《しんしゃく》なく、身をもって当れと易の本に言ってある。すなわち利潤と関りなき事項とは、客を室に招くこと、結婚の仲人をすること、思いを新たにすべく居を転ずること、暗がりに遺失物を捜すことなどである。ことに、仲人となる場合には、媒酌されたる花嫁の邪気虚損して、下部の悪熱屏息《へいそく》す。すなわち、三陰を慎ましやかに中にして、一陽を花冠となし、二陽をば堅固なる台座となす。地天泰の、簡朴なる三陰三陽の配合に比し、紆余《うよ》曲折はあれども味わい深き象である……」

べらべらと立板に水のように喋《しゃべ》るので、つい私、見合をしてもいいような気持にさせられて、

「俺も、絽《ろ》の羽織を着るころ見合をしてみるかね。無論、お前さんも一緒に来てくれるんだろう」

と、わけなく承知してしまいました。

元来、この水無瀬ホテルの高沢は私と仲よしですが、商売の上では私の敵で、こいつは旅館の「呼込み」にかけては、昔から私よりも役者が一枚も二枚も上でした。高

沢は声も浪花節《なにわぶし》語りのように太いし、口から出まかせもうまいので、泊る気のある客は吸いつけられるように呼込まれてしまいます。それには長い間の年季がはいっていますから、結婚の仲人口なんかこの男には朝飯前の仕事です。弁才をもって、斟酌なく、身をもって当るというのですから、私のように役者が一枚も二枚も下の者は陥落させられてしまいます。

高沢の「呼込み」の声は、私、今でも夢に見ることがございます。それが何故ならばというわけは、私ども番頭商売の者は、昔は呼込みが掻くっては仲間の間で頭があがらないばかりでなく、まかりまちがったら食いはぐれだ。私と高沢は友達だが、商売の上では競争相手のライバルというやつだ。私には高沢が目の上のこぶでした。そこに私の何とも言えない辛《つら》さがあるわけですが、何の商売にもこれに似た辛さがあるんではないかと思います。つい最近も、毎日新聞社の幹部であったお客さんから伺ったことですが、このお客さん、新聞社をお止《よ》しになって十何年の月日を経《へ》た現在でも、ふとして朝日新聞に特ダネを浚《さら》われた夢を見ると仰有《おつしや》っておりました。若い記者時代に、よほど口惜しかったのでございましょう。

以前、日本全国のうちで、呼込みを盛んにやる旅館があった主要な場所は、長野の善光寺さんの門前町と、日光と、伊勢の古市と、それから京都の四箇所でした。したがって、ここには呼込みの上手な番頭がおりまして、このうちから自信のある腕っこきの番頭が出稼ぎに集まる場所は江の島でございました。明治、大正から昭和にかけて、戦前まで、江の島、特にあの江の島へ渡る橋の手前、片瀬の旅館街は、番頭たちが呼込みの腕くらべをする晴れの場所でした。言うならば、番頭修業の大学校であり大学院でございました。ここで修業して来なくっちゃ一人前の番頭とは言われない。

江の島へ出稼ぎに行くのは、毎年三月から八月までの夏稼ぎですが、初めて稼ぎに行く番頭は、先《ま》ず口入れ稼業《かぎよう》の親分の前で、実際に呼込みをやってみて、それでいいとなると旅館へ振向けられる。だから関西と関東の番頭の腕くらべをするようなもので、そのつばぜりあいは実に壮観なるものでした。

私は二十七八のとき江の島に参りました。上野の籾山《もみやま》旅館の本帳場にいた頃ですが、近所の竹屋旅館にいた番頭から、「どうせ上野では、夏は暇だから江の島に行かんか。お前なら勤まる。修業のつもりで行ってみろ」と勧められ、「いや、恥をかくから嫌だ」と尻込《しりご》みすると、「お前、すこし踏んばってみろ。俺が見抜いてるから大丈夫だ。もし恥をかくようなら、恥でも何でもかいてみろ」と力づけてくれるので、「よし、行ってやろう」と決心して、それでもびくびくもので出かけて行きまして、江の島の弁天様に願掛けのお参りをしてから口入れの親分のところへ参りました。その年は七月、八月と二箇月、片瀬で一ばん端の松風楼に勤め、翌年と翌々年は五月から八月まで、都合三度にわたって同じ松風楼に勤めました。

江の島は番頭にとっては銭になるところでした。呼込みは歩合を貰《もら》います。当時、稼ぎの多いやつは給料の八倍ぐらい稼ぐんだから堪《こた》えられない。私のいた松風楼は座敷の数は少ないが、それでも給料の六倍ぐらい稼いだものでした。主人からは頼もしがられる。料理番も一もく置いてくれまして、晩になるてえと「今日は酒の肴《さかな》、何にしましょうか」「オニガラ焼でもして貰おうか」という調子で、酒は飲み放題。しかし、そんな酒はうまくないもんで、二三本も飲むと今夜はどこかへ行こうかということになって、たいてい藤沢へ出かけて行ったものでした。そんなとき、遊びに行く連れは松風楼の筋向いの洗心亭にいた番頭だ。これが昼間は私と客を取りっこする手強《てごわ》い商売敵の本尊だが、夜は遊び仲間の親しい友達で、しかもお互に博打《ばくち》と酒と女に注ぎこんで、すっからかんになるんだから妙なものだ。それが何故ならばというわけは、藤沢の花柳界でも、江の島の番頭連はいい塩梅《あんばい》に銭を儲《もう》けていることを知っているのだから、気分的に番頭が大変もてる、滅茶苦茶《めちゃくちゃ》にもてたものでございます。

当時のこの洗心亭の番頭が、すなわち現在の水無瀬《みなせ》ホテルの高沢でございます。私と高沢の仲は、意趣を持った商売敵が夜は友達に化けるのか、仲のいい友達が昼間は仇敵《きゆうてき》に化けるのか自分でもわかりませんでした。とにかく昼間の高沢は、私には憎たらしい「こんちきしょう」でした。私が一生懸命に全力あげて死にものぐるいで呼込みをしておりますと、向う側の高沢が、あの銅鑼《どら》声で号令かけるように、

「ええ、いらっしゃい、いらっしゃい。お客さん、こちらこちら、こちらでございます。もしもし、お客さん、間違っていらっしゃいませんか。こちらでございます。お客さん、間違いです、間違いです、こちらでございますよ。間違っては困ります。はい、お待ち申しておりました」

と呼込んで、松風楼に入りかけたお客に二の足を踏ますので、こちらは周章《あわて》るやら癪《しやく》にさわるやら、

「お客さん、間違ってなんかいませんよ。心配ありません、こちらです。はい、どうぞこちらへ」

と、抱くようにして入れてしまうようなこともございました。高沢というやつは、商売敵としては実に凄いやつで、私が呼込みに全力をあげて努めても、あいつには叶《かな》いませんでした。あいつ、声が太くてよく通るから叶わない。

そのころ、江の島で呼込みが一番うまかったのは、京都から来ていた山川という年寄でした。今でも山川は八十幾歳で健在でおりますが、この年寄には高沢なんかも叶

わなかったものだ。第一、山川の声は涼しく行き渡る。高沢なんかのように銅鑼声を張りあげるのでなくって、さほど声を振りしぼっているとは見えないのに、ほかの者の呼び声を掻《か》きのけてよく響き、誰の声よりも板についているわけなんでございます。お客が、江の島電車の駅、または小田急の駅を降りてぞろぞろやって来るてえと、軒なみに旅館の番頭が店先に出て客を待受けている。山川は客を遠くから見て、泊る客か休んで行く客か見分けをつけてしまう。これは経験から生れた勘ですが、そこで山川は素通りしない客だと見てとると、遠くまで通る大声で「ええ、いらっしゃい、いらっしゃい」と呼びながら、頻りに手をあげたりお辞儀をしたりして見せる。そこに何とも言えない呼吸があるんでして、全く駈引《かけひき》のようなものでございます。要するに、お辞儀を先に見つけられた番頭の勝ちなんでございますからね。もはや客は遠くから山川に目をとめて、よその番頭のお辞儀には目もくれない。山川はお客が近づいて来ると、

「いらっしゃいまし、いらっしゃいまし。お待ち申しておりました」

と、ぺこぺこお辞儀して、あれよあれよと言う間に自分のところに入れてしまう。

私どもの目から見ると、山川という番頭は客引きの奥義に達した人のように見えました。最近は各地方とも番頭の呼込みの技が凋落《ちょうらく》して参りまして、地方によっては町

の旅館と女郎屋を一緒くたにしたように、呼込みの番頭が、「ええ、いらっしゃい、中型の浴衣《ゆかた》の旦那《だんな》。景品として、エロ、グロ、ナンセンスがございます」と言っているのを見たこともございます。どうも芸が荒い感じです。旅館の経営方針の変るにつれて呼込み文句も違って来たんでございまして、どこに行っても最近は、これはと思う呼び声を聞くことが少くなりました。

つまり、呼込みを致しますには糸でお客を引くようなもので、魚を釣りあげるのと似ております。魚の引き工合によって、竿《さお》を持つ手もとを加減するのと同じように、お客の向き向きによって好みに合うように喋らなくてはならん。その場で瞬間的に、しかも自然のように調子のいいことを言わなくっちゃ。言い後れたりすると後の祭でございます。魚を釣るとき浮子《うき》が水に引きこまれたら、間髪を入れずに合せるようないきさつでございます。

ですから、新婚旅行の若夫婦の場合なら、そばに近づいて来るのを待って静かに小さな声で、若干しんみりと、

「お静かな、お気持のよろしいお部屋があいとります」

と持ちかける。そのお客が近づいて来るまでは決して声をかけないで、三つ四つのお辞儀だけでもって、こちらに近づいて来るようにあやつって行くのでございます。

一般に、お客というものは宿に着いたとき、意識するしないに拘《かかわ》らず番頭や女中のお辞儀の仕方を見逃がさない。新婚の若夫婦にしても、客引番頭の愛嬌《あいきょう》のある大げさなお辞儀には何か印象というものを得る筈《はず》です。そこで、若夫婦がまだ愚図愚図しているようなときは、ぺこぺことまたお辞儀して、

「はい、眺めの宜《よろ》しい、お静かな、取って置きのお部屋がございます。では、そのお部屋へ、そのように御案内いたします」

と一方的にきめてしまいます。

しかし、呼びこみの言葉は出たとこ勝負でございます。一概には申せませんが、これが田舎から出て来た爺《じい》さん婆《ばあ》さんなら、呑気《のんき》そうな調子でもって、

「まあ、いらっしゃいよ。寄ってらっしゃい。こっちへいらっしゃいよ、一ぷくしていらっしゃいよ」

と言いながら、手招きとお辞儀で近寄せて来させまして、

「安心して泊んなさいよ、お安く致します。いろいろ御相談に応じます。安心してお泊んなさいよ。ゆっくり、くつろぐ部屋がありますよ」

と気安く言って、警戒の気持をゆるめさせます。

年輩の身なりのいい人ならば、

「社長、お泊りでしょう。部屋があいております。清潔な部屋でございます。いかがです、とにかくお寄り下さいまし。特別、見晴らしも宜しゅうございます。お部屋を一応御覧くださって、お気に召さなかったら、どうぞ御遠慮なく、それで結構でございます。とにかく、おあがりなすって下さい。手前ども、十分にサービス申上げます」

するとその客が、「部屋を見ても、泊るかどうかわからんぞ」と言ったとする。それなら、もうしめたものだ。

「ええ結構でございます。有難うございます。さあどうぞ。きっとお気に召すと存じます。どうぞ御覧を願います」

そう言えば、たいてい入ってくれますね。

一ばん扱い良いのは連込客で、これには若夫婦に言うのと同じように、もの静かに、しんみりと、

「御意に叶うお部屋がございます。静かなお部屋で、離れと同じようになっております。さあどうぞ、眺望絶佳でございます」

昔は有難いことに、連込客は休憩だけとか食事だけというのは少くて、たいてい御一泊でございました。受持の女中としましても、連込客は子供づれの客などと違って

手がかからないから歓迎いたします。でも、女中たちが一ばん羨《うらや》むのは、連込客でなくって、可愛《かわい》らしい活潑《かっぱつ》なお子さんをお連れになる御夫婦客にきまっているのでございます。

十四五人の団体は、これを私どもでは団体客とは言わなくて、失礼ながら「かたまり」と申しておりますが、歩合制の呼込みの番頭が一ばん歓迎するのは、かたまりでございます。この連中は旗を立てたりして賑《にぎ》やかに繰出して参ります。それを待ち受けて、

「ええ、いらっしゃい、いらっしゃい」

と気合を入れるように一つ浴びせかけ、

「はい、いらっしゃい、御相談いたしましょう。みなさん、どうぞ、さあさあいらっしゃい。とにかく、いらっしゃい、御相談いたします、何でもいたします。見晴らしのいい部屋がございます。はい、とにかくお座敷から、風光絶佳なところ御覧なすって下さいまし。日本、八方見晴らしです。とにかく御覧なすって下さいまし」

と声に力を入れ、その間に客の顔色を窺《うかが》いながら、かたまりの大将格の者を物色して、それと覚しき人に、

「とにかく、御相談くださいまし」

と、ぺこぺこお辞儀をいたします。

家族連れのお客なら、お子さまの御機嫌をとったり、奥さんのお気に入るようなことも喋《しゃべ》りまして、あるときのごとき、ついにはお子さまが「ここの人、熱心だから、ここに泊ろうよ」と発言されまして、有難く思ったこともございます。また、あるときは、向う側の高沢から、「坊ちゃん、坊ちゃん、ちょちょちょっと、こちらこちら、こちらですよ坊ちゃん」と邪魔されて、家族連れの十人ちかく一とまとめに浚《さら》われたこともありました。

当時、片瀬の旅館では江の島見物に出かける客に草履を出しておりました。今では出しておりません。江の島の岩礁《がんしょう》や岩山を歩くのでサービスでございまして、帰りにまた寄ってもらおうという胸算用です。番頭は草履を手に持って、「どうぞお召し下さい」と跪《ひざまず》いてお客の足に履かせておりました。蛙《かえる》のように手をついて、手で履かせ、そうして頭を地につけて「お帰りをお待ちいたします」と申上げる。それはもう異様な光景で、この番頭の風体を、お客の連れている子供が面白がって真似《まね》るのが、番頭には何とも言えずあわれなものでございました。

私どもの仲間では、江の島をやらなければ、旅館の番頭としての真の一人前とは言われなかったものでした。その代りに江の島では激しい競《せ》りあいで、私は腕をみがくというよりも意地ずくから血の出るような思いをいたしました。現在、私どもの旅館では、下帳でも中番でも客を見て、銭を持ってるか文無しかの見分けもつかなくなっていて、実にだらしのねえ始末です。何故ならばというわけは、あいつらは当世の会社員みたいなつもりになって、昔の番頭気質というものを小馬鹿《こばか》にしています。うちの座敷が空っぽのときだって、客引きの一つも出ないという始末です。じれったくて仕様がないので、せんだって私は「おい、みんな見ていろ。あの通行人を入れて見せるから」と言って、往来で実演してやりました。

「どうだ、見たか。さっと糸を投げた。すっと入って来たろう」

その客は田舎出の御隠居さんでしたが、年寄だから昔風の呼込みに共鳴したというわけでもないでしょう。

昔の江の島仕込みで言えば、お客を見るには先ず履物から見る。無論、下駄《げた》の形にも地方色というのがあるが、履物が新しければ、これは山形だな、秋田だなとわかるんだ。次に、お客の持ってる携帯品を見る。風呂敷《ふろしき》包みを背負ってるのは新潟県、バスケットはたいていが山形県、千葉あたりの人は袋にして背負っている。田舎の人を見て、これは善光寺参りの途次、これは伊勢参りと見分けがついたものでした。

でも宿屋の番頭という者は、幾ら仕事に熱を入れたって職業録にも載らないし、社会保障も何もなく、私なんかのように独身の者が耄碌《もうろく》したらそれでおしまいです。ただ頼むは主人対私の関係だけだ。私なんか、もうそろそろと、番頭稼業《かぎよう》していては外聞が悪いことになるかもわからねえ。最近、ここの旅館組合の総会で、大野屋の番頭を表彰する案を決議したそうですが、「俺は表彰なんかしてもらいたくねえ。絶対に嫌だ。外聞が悪いよ。お前は、まだ番頭してたのかと言われるからね」と返答したということです。この大野屋の番頭は二十一の年から番頭稼業に入って、三十前後のころ三年つづけて江の島をやって来た歴乎《れっき》とした番頭ですが、洒落《しゃれ》や冗談に組合の決議に楯突《たてつ》いたわけではない。こころぼそ鳥辺山《とりべやま》だからこそ、首を横にも振る。私には、その傷心の気持がしみじみとわかるんでございます。

私、さきにも申しましたように、絽《ろ》の羽織を着るころ見合をしてみるかね、と高沢に言っておきましたが、夏の衣裳《いしょう》なら安あがりに出来ると思って不図《ふと》そう言ったまでのことで、戦争ですっからかんになってからは、絽の羽織なんか持ったことはないのでございます。しかし男物の和服でも最近は夏物と言ったって安くないことがわかりました。高島屋の呉服部へ電話をかけて問い合わせますと、男物の夏羽織は、六月なら絽、盛夏なら紗《しゃ》、これが七八千円から一万円。着物は、六月ならお召か絽お召、盛夏なら上布か紗で、いずれも七八千円から一万二三千円。しかも贅沢品《ぜいたく》だから、上には限りがないということでございます。

私は戦後の着物の相場を殆《ほとん》ど知らなかったのでございます。それに戦後の旅館の番頭は、本帳場の私どもでも食べさせてもらって月給が手取り二万円、物価は高くなっても、騰《あが》らないのは宿屋の宿泊料と番頭の月給だ。とても紗の羽織や上布の着物には手が出ない。無い袖《そで》は振れないとはこのことだ。第一、女房を貰《もら》ったって食わせて行けるかどうかわからない。どうせそれなら、見合なんかしなくってもいいという気持になっておりますと、高沢のやつ、下谷の菜種屋旅館の旦那から紗の羽織と上布の着物を借り出して来て、

「どうだ、この衣裳の手前もあるだろう。お前さん、見合しなくっちゃ今日《こんにち》さまにすまねえよ。梅雨があけたら、すぐにも出かけようじゃないか。景気よく出かけようぜ」

と勇み立って見せるんでございます。

それで私、高沢のやつにその衣裳を突返して、

「せっかくだが、上布の着物を着たくって、俺が見合をすると思われては困るんだ。

まして、借着をして見合をしたと言われちゃあ、柊元《くきもと》旅館の番頭として恥さらしだ。俺は浴衣がけで見合をするつもりだ」

と拗《す》ねてやりました。無い袖を有るように飾られそうだから、不貞《ふて》くされたのでございます。

でも高沢は聡《さと》いやつで、ころんでも只《ただ》では起きない人間です。「この衣裳を、見せ金の代りにして来るかね」と言いまして、その上布の着物と紗の羽織を柊元旅館の御主人のところに持ってって、何やら弁舌を設けて御主人のところから私の月給の半分だけ貰って来てくれました。私、その才腕に驚いて、

「前借かね」

と念を押しますと、

「いや、お前が見合をするから、御祝儀《ばった》として旦那《だんな》が下すった。遠慮なく頂いておけ」

と鷹揚《おうよう》な口をきくのです。私、うっちゃって置けないので旦那のところへ挨拶《あいさつ》に行くと、

「慎重に見合することだ。お前さん、人を見る目は肥えてるだろうが、上手の手からも水が漏れるというからな。人の口車に乗っちゃいけないぞ」

と戒めて下さいました。

高沢という男は要するに派手にぱッとすることが好きなんで、何かにつけ、たとえばここに一つの案があるとすると、尾鰭《おひれ》をつけて賑やかになるように細工をする。見合に行くについてもその通りだ。梅雨が明け、そろそろ見合に出かける支度をするころになると、高沢はまたもや手の混んだ細工をして、私を後家横町の辰巳《たつみ》屋に呼び出してこう申します。

「お前さんが見合をすることは、つまりお前さんが艶福《えんぷく》にあずかることなんだ。だから、慰安会の連中と一緒に旅行に出なくっちゃいけねえよ。会の規約だからな。それにお前、見合に行くと言ったって、どうせ汽車に乗るんだから、連中を誘って景気よく繰出そうじゃないか。この旅行の幹事は俺が引受けた」

そう申しますので、

「お前さんのいいようにしておくれ。いろいろ模様がえの話を聞かされると、俺の頭がこんがらかるよ。お前さんに任した」

と、曲りなりにも私が承知いたしますと、たたみかけて高沢が申します。

「ついては、今度の旅行さきでは、お前さんが一人の美形《びけい》と相逢《あいあ》うことになる。いわば、お前さんが今度の旅行の花形だ。その花形を盛りたてるべく、他の取巻連中は、わいわいと女を連れて行くことにする。これだけはお前、事前に得心しておいてくれなくっちゃ困るんだ」

「すると、みんなが女房を連れて行くのかね。ちょっとそれは待ってもらいたい」

「いや、女房と一緒だと、理づまりで一座の気分が重くなるからな、色を連れて行くんだ。もう取巻の連中一同、女を連れて行くことに話がついている。かみさんじゃあない、色だよ」

高沢はすべて呑《の》みこんでいるといった風で、何故に色を連れて行くかその理由を説明して聞かせました。それは一理あるようでもあり、我田引水の説でもあるようでございました。

高沢の見解によりますと、われわれ番頭仲間の生活では、同業同士の女房が互に交際すると結果が甚だ拙《まず》いことになる。お互に手もと不如意《ふにょい》だから、人に見せなくってもいい窮屈なところを、つい見せたり見られたりすることになる。一家の急所みたいなところを見たり見られたりする。太平楽の外国の金満家の夫人たちとは話が違う。われわれ風情《ふぜい》のところでは、女房同士がつきあうと互にあらが見えすぎて、どうだこうだと、人の内幕に顔をしかめるようになるのが成り行きだ。われわれ風情は、同業同士の女房を交際させることは禁物である。ここのところは緊褌《きんこん》一番、取巻一同、色を連れて賑々しく出かけて行く。

「それについて、お互に礼節ということを忘れてはいけないからな。慰安会の連中のうちには、色を持っていねえ野郎があるかもしれん。また、色を持ってても、その女を仲間に知らせたくねえやつがあるかもしれん。俺は今度の旅行の幹事として、みんなのそういった気持を尊重しなくっちゃいけないんだ。そこで俺は堂々たる一策を考えたよ」

高沢は声に力をこめて言うのです。

こんなのは高沢の常の癖でして、誰か第三者が傍にいるときには、特別くだらない話に熱を入れるのがおきまりだ。ことに綺麗《きれい》な女が傍にいるときには、口から出まかせの大法螺《おおぼら》を吹くことがある。ちょうど、この打ちあわせのときには、高沢は辰巳屋のおかみさんと若い女中を第三者として意識していたようでございます。

高沢の言う堂々たる一策と申しますのは、新聞の求職案内欄に「付添婦人を求む、アルバイト向き」という広告を出すことでした。

「旅行に連れて行く女を募集するわけだ。広告には姓名在社として、戦前ならば、それこそ当方財数万、一見、若づくりを求む、とするところだ。応募者の資格は、先《ま》ず二十七八歳から、三十四五歳までの女だね。すると慰安会の連中は、白ばっくれて自分の色を応募させるにきまってるよ。きっと連中、色を応募させるに違いない。火を見るより明らかだ。俺のこの眼力に狂いはねえ」

高沢はそう言って、冗談とも真面目《まじめ》ともつかないように、

「どうだねマダム、あんたも一つ、応募してみる気はないかね。枯木も山の賑わいだ」

と辰巳屋のおかみの気を引きました。

「嫌よ、あたし、水無瀬《みなせ》ホテルさんの色と、コッンコすると嫌。ほかのかたの色と、コッンコするのも嫌。応募して、ふるい落されるのも嫌」

と、おかみは尻込《しりご》みして見せました。

でも高沢は何だかんだと弁舌を弄《ろう》しまして、応募者の集まって来る場所を、この辰巳屋と指定して差支えないことに話を漕《こ》ぎつけて、

「見ていてごらん、マダム、当日は、慰安会の連中の色が、きっと一人や二人は来るからな。やつら、どんな顔して選択することかな」

と、いかにも満足そうな顔をしておりました。

私、まさか慰安会の連中が、新聞広告を出すことに賛成するとは思ってはいませんでした。しかるに、高沢のソシンチョウギの弁が功を奏し、「付添婦人を求む」とい

う小さな広告が間もなく新聞に出たということでした。私は付添の女を入用としないので広告にも気をつけず、応募者の集まる日には呼出しがあっても辰巳屋へ行くのを遠慮していましたが、後でおかみに聞くと、当日は午前十時から午後二時まで、次から次と四十何人も女が来て、辰巳屋では大変に迷惑したとのことでした。

おかみの話では、当日、水無瀬ホテル、春木屋、房総屋、杉田屋の各番頭が、辰巳屋のスタンドの内側に腰をかけ、応募して来る女性の履歴書を受取って、「御苦労さま。いずれ履歴書をよく拝見して、もし採用するようでしたら、三日以内に手紙で御様子します」というようなことを言って帰らせたということです。ところが審査員たる四人の番頭は、それぞれに自分の色を応募させていたことが確実で、しかもお互に言わず語らずのうちにそれと気がついていたらしいというのです。

「四十何人の応募者のなかに、とても感じのいい女の人が一人いましたわ。四人の審査員さんたち、愕然《がくぜん》となすったようでした。でも、みなさん自分の色を連れて行くことになっているのでしょう。じっと我慢を殺していらっしゃるんです。おかしくってね。色を連れて行く手筈《てはず》になっていること、見ていて、すぐばれてしまいますわ」

「やつら、無駄なことをしたもんだ。その行為たるや、応募者に対して、民法第何条の罪を犯したことになるんだろう。選挙演説で、大噓《うそ》を聞かせるために人を集めるようなもんだろうな。ところで、連中の色は概《おおむ》ねどんな風な女だね」

それにはおかみは返辞をせずに、

「でも女の身にすれば、応募して旅に連れて行かれるという立場ですもの、すっぱりした気持じゃないかしら。女性同士、お互にずいぶん気持が楽でしょうね。ものは試し、あたしも応募すればよかった」

と、有るか無しかに、気を持たせるようなことを言うのでございます。かねて私、かすかな或《あ》る気持をおかみに対して感じていましたので、がらにもなくこう申しました。

「マダム、印象の深いこと言ったね。それなら、第二回目の募集をやらかすか。今度は、新鋭の俺が審査員になるとしたらどんなもんだ。俺なら、闇雲《やみくも》に第一着の女を採用する」

「応募者は、履歴書を提出しなくっちゃいけないのね」

「そうさ、マダムなら何某妻と書かなくっちゃ、いけないんじゃないか」

「あたし字が下手くそだから、履歴書なんか書けないわ。あたしの気持が通じないのと同じように、いくらじれったくっても仕様がないのね。まるで宿命を背負っているみたい」

こんな会話の遣《や》りとりは、おかみに器用に扱われている上のことかも知れないんで、このくらいのところで打ちきっておくべきでした。もはや夏場のことで、この界隈《かいわい》では旅館や土産物屋は無論のこと、飲屋なんかも商売が上がったりで、辰巳屋のおかみも退屈まぎれの気持もあったに違いない。だから、こちらは調子に乗りすぎては恰好《かっこう》がつかなくなる。そう思うのが常連客のたしなみでございます。

ところがその翌日の晩、帳場が片づいたころ、高沢の代理として辰巳屋のおかみが公衆電話をかけて来て、例の連中に、高沢が集合を命じていると言うのでございます。

「春木屋さんも房総屋も、杉田屋さんも、みなさんうちの店にお見え下さいます。今度、水無瀬ホテルの悶着が解決して、高沢さんがレジスタンスを止《よ》して明日から水無瀬ホテルの帳場にお坐《すわ》りになるそうです。そのお祝いですから、今晩は高沢さんの御招待です。私もお待ちしています」

悪くない電話だと思いました。私は「すぐ行くよ」と言って電話を切ったものの、顔を剃《そ》ったり新しい開襟《かいきん》シャツに着かえたりして、ちょっと手間どってから辰巳屋へ出かけました。連中は、みんな揃《そろ》って祝杯をあげているところでした。

聞けば水無瀬ホテルでは、従来の雇われマダムが支店の小料理屋へまわされて、もと熱海で旅館を経営していた村田という初老の人が管理人に納まったということでした。高沢は三箇月ぶりに目出度く水無瀬ホテルの帳場に直ったのです。しかも高沢は、三箇月ばかり前に府中の五月競馬で大穴を当てたので、そのときの鼻息の荒さが、またぶり返しているような調子でした。やたらと人のコップにビールを注ぐ。辰巳屋のおかみにも無理やり飲ませようとする。何しろ三箇月も例のレジスタンスというのをやって来て、そいつが首尾よく行ったのだから嬉《うれ》しさは格別でしょう。そこへ旅の者と見える中年の客が、綺麗な年増《としま》を連れて来てビールを注文したのだから堪《たま》らない。高沢はいつもの癖で、女連れの客に聞えよがしに私に向きなおって言うのです。

「ときに旦那、このごろ銘木《めいぼく》は大変いいんですってね」

私は、そら来たと思ったが、「まあ順調ですよ」と話をぼかすよりほかはない。すると高沢は懐《ふところ》に手を入れて、指を折り曲げながら玄人《くろうと》のような口をきくのです。

「旦那、このくらいですってね。大変だそうですね。すごいんだそうですね。いやいや、ニュースはちゃんと入ってます。あれは私、人には話さなかったんですが、確かな筋から聞くと、これくらいですってね。それとも、実際はこれくらい。実にすごい。話だけにしても大したもんですな」

「まあそんなことは、どうでもいい。堅ぐるしい商売の話は止そう。まあ飲もう」

「いやいや、はい、頂くものは頂きましょう。私は、とことんまでやられましたよ。

みんな旦那に儲《もう》けられてしまいましたよ。尤《もっと》も、私の損と言ったって、旦那の目から見たら芥子粒《けしつぶ》のようなものですがね。しかし私は、日野に買っておいた地所を、三筆で、三千二百坪ほど手放さなくっちゃならなくなりました。家内は入院しているし、商売のとき、そっちに気をとられてしまっていたせいもありましたよ」

裏を知る者なら、また高沢の病気が出たと思うだけの駄法螺でも、知らない者は大損した高沢を憐《あわ》れむか、または成金に見立てられた私に白眼を向けて来るかです。いい加減に止さねえかと睨《にら》みつけてやると、辰巳屋のおかみが仲を取りもって、

「それでは、大成功なすった旦那のために、みなさん乾杯をお願いいたします」

と、連中一同のコップにビールを注ぎました。連中が乾杯すると、

「あたし、縁起のいい旦那に、あたしの履歴書を書いて頂きたいんです。書いて頂けますかしら。履歴書も、戦後は万年筆で書いたっていいんでしょう」

おかみが洒々《しゃあしゃあ》として、事実、万年筆と筒に巻いた半紙を招き猫の後ろから取出したので、すかさず高沢が、「旦那、縁起です。書いてやって下さいまし。履歴書というものは縁起が大事ですからね」

と傍から言うのです。私、ぎくりとしたことでございました。何のための履歴書か私には大概わかっておりました。

思うに、高沢は幾らか辰巳《たつみ》屋のおかみに愛着を持っている。それを言い出すほどの熱はなさそうだが、好いたらしい女だなという程度のところで、微《かす》かに謀反心《むほんしん》みたいなものを持っているようでした。

「書けと言うなら書きましょう。では、マダムのため私が書いても、お前さん気を悪くしないだろうね」

高沢は私がそう申しますと、

「いや、とんでもない。私は百《ひゃく》なし、旦那《だんな》は福の神、縁起のいいお方ですよ。このところ、旦那は有卦《うけ》に入ってらっしゃいます。名木で大当りなすった前には、あれは何でしたね、綿糸が値上りして、初めは確か七百万の儲けでしたね。それを買いなおして、とんとんとんと値上りして、一千二百万の儲けでしたね」

またしても高沢の駄法螺だが、さっきからの行きがかりです。

「うん、あのころ綿糸の値は、ずいぶん動揺していたね。しかし堅ぐるしい話、止そうじゃないか。まあ飲もう」

そんなこと言ってる間に、おかみが「すみません、お願いいたします」とスタンドに半紙を拡《ひろ》げるので、私は思いきって万年筆を持ちました。これが毛筆なら、手が震えるところです。私は楷書《かいしょ》で「履歴書」と書き、おかみの口述するままに、本籍、現住所、姓名、生年月日、小学校卒業の年月、女学校卒業の年月を書き、現在の職業を料理飲食店業と書きました。極めて平凡な履歴ですが、平凡であればあるほど私はそれが貴重な履歴のような気がしたことでございます。

「家族、または係累《けいるい》は」

それを言うのに、私は息を殺す思いでございました。

「一人ぼっち。家族なしと書いて」

そう言うので、半ば疑いながらもその通りに書きました。

高沢も他の連中も珍しく鳴りをしずめまして、各自に飲むのを止して私の手元を見ているようでした。女連れの客は、東京都全図を拡げて黙々としておりました。

おかみは「宛名《あてな》は……」と言って、

「でも、履歴書のときは届先というのかしら。とにかく、慰安旅行会御中と書いて。旅行会では、もう一人の人に付添婦人が足りないでしょう」

同時に傍から、ぴいッと口笛を吹いて、「いやはや」と言ったのが春木屋の番頭でした。

「これは驚いた。どうして俺は気がつかなかったんだろう、迂闊《うかつ》々々」と奇声をあげたのが高沢でした。

「乾杯々々」と言ったのは杉田屋の番頭でした。

「うん、これは乾杯ものだな」と、重々しく言ったのは房総屋の番頭でした。

おかみはさりげないような風で、ビールの栓を抜きながら、誰に言うともなく、

「慰安旅行会では、第二回目の付添婦人募集なさるんでしょう。あたし、就職運動する意味で、じゃんじゃんみなさんにビールを贈賄《ぞうわい》します」

と、栓を抜いたビール瓶を連中の前に並べるのでした。

私は履歴書に「右の通り相違ありません」と書いた次に、ペン先をきつく紙に当てて、特に丁寧な字で「慰安旅行会御中」と書きました。

おかみが、私にこんな履歴書を書かしたのも、いつか私が於菊とこの店で云々云々《うんぬんしかじか》の場を見せつけた影響ではなかったかと思われます。見せ金は不図して現金を生むものでございます。噂《うわさ》が実績を生むことさえもあるのでございます。

そこで、何とか発言すべきは幹事の高沢でしたが、女連れの客がいる手前、さっきの行きがかりで遠まわしにこんなこと申しました。

「旦那、お干しなすって。お注ぎいたしましょう。よく冷えたビールでございますね。つきましては旦那、今度の旅行のことでございますが、私はまだ見合の相手に何の様子もしておりません。花婿《むこ》の候補者は、さっと相手にぶつかって行って、出たとこ勝

負が宜《よろ》しいと思っておりました。相手に見合のことを言わなかったのは、私としては怪我《けが》の功名でした」

まさか、これは出まかせの一つだとは思われませんでした。しかし辰巳屋のおかみとしては、そう言われてみたら悪い気持もしなかったでしょう。もうせん私が高沢に、「いったい、誰と見合をさせるんだ。名前だけでも言ってくれ」と申しますと、「然《しか》るべき旅館の女中さんだ。於菊さんそっくりの女だ。耳の恰好までそっくりだ」と言ったので、例の湯村のジュコさんだと思いあたったことでした。弁舌に自信のある高沢だから、もし私が乗気になれば、その場で相手を言いくるめて話を纒《まと》めるつもりであったものと思われます。

辰巳屋のおかみは、伝票に捺《お》す判を履歴書に捺しました。手さきにしなをつけ、ぽんと音をたてて捺しました。私、そのしなやかな手つきを見て、「この店のおかみ、色好みに違いないな」と、自分の都合のいいように思ったことでございます。

言ってみれば、もののはずみというものでしょう。しかし私という人間は、どうしてこんなに雑に出来てることか、われながら、わが身を持てあますような思いをすることがございます。誘ってくれる女が目の前に出て来ると（こちらが酔ってるときなんか）その女が目がねに適《かな》ったとなると、もう有頂天にならなければ損だというような気を起す。酔っていても、これが自分の本当の気持だ、これが本来であると錯覚を起す。こんなのは自分が今だに男やもめでいるというだけのことでなくって、心の底のどこかに、これが男やもめの特権だという気持を潜めているせいじゃないかと思うのでございます。

私、連中と旅行に出るまでの十日あまり、殆《ほと》んど一日おきに高沢を誘いまして、割勘で辰巳屋へ酒を食らいに行きました。無論、おかみの顔を見るためなんで、しかも飲みに行く度ごとにおかみの素振が艶《つや》っぽくなって行くと確認したいためなんだ。おかみの胡瓜《きゅうり》を刻む庖丁《ほうちょう》の音にまで色けが出ているようだ。こちらは、そう思いたい一心だ。おかみは、ふと思い出したようにスタンドのかげにしゃがんでコンパクトを使う。それを見ているときの私の満足感は、また格別なものでありました。

でも高沢の見解によりますと、居酒屋通いと女郎屋通いは、自《おのずか》ら道も骨法が違っている。のべつ幕なし、私のように同じ居酒屋へ行くのは反《かえ》って効果がないんだそうでございます。いよいよ明日の朝は出発という晩に、辰巳屋からの帰りに高沢が私にこう申しました。

「やっぱしお前は、新時代の人間じゃあねえようだ。居酒屋と女郎屋は別ものだ。居酒屋の女を張るときには、最初の日は、その店で極めて月並な飲みかたをする。その次には、忙しい商用がある人間だと見えるように忙しく飲んで、さっさと引きあげる。余計な口はきかないことだ。そこで三度目に行ったとき、今日はゆっくり飲める晩だと見せて、大いに濶達《かったつ》に飲む。但《ただ》し、三度とも御祝儀《ごしゅうぎ》を置かなくっちゃいけねえ。そうして、三度目のとき、突如、女の気を引いてみることだ。四度も五度も通っているてえと、友達づきあいになって、もはや口説けねえ。お前さんのやりかたは、お前さんの青春のかけらというやつを、まるで味噌《みそ》漬にしてるようなもんだ。だが、俺の見るところじゃあ、十分すぎるほど脈があるね」

これは高沢自身、泥を吐いているようなものでした。以前、高沢は毎日のように辰巳屋へしけこんで、裏の鰌《どじょう》屋に鰌の割きかたなんか習ったりしているうちに、たぶん不本意ながらおかみと「友達づきあい」の仲になったんでございますね。でも私は高沢の前で、そんなことは、そっと伏せておきたい気持でした。私はずいぶん好色の男ですが、友達の女や友達の妹や友達の身内の女の前では、自分は女ぎらいではないかというような気持になる性分です。私は幼いとき旅館の女中部屋に寝起きさせられながら育ったので、ろくでもない女の内幕を見聞きして自堕落になる一方には、どうにか人並にそういう性分になったのだろうと存じます。

（そこで懇親旅行のことでございますが、それは兎《と》も角《かく》として、ながながと、こんなくだらない身の上ばなしをして差支えなかったのでございましょうか。初め貴方様《あなたさま》のお話では、「駅前の宿屋風景を知りたい。思い浮ぶままに語ってくれ。くだらないと思ったことでも喋《しゃべ》ってくれ。何も彼《か》も繕《つくろ》わずに話してくれ。芝居や小説のように仕組まなくてもいい。在りのままに話してくれ」との御注文で、その実、私は御質問の要点がどこにあるのかよくわかりませんでした。で、前後三回にもわたって、こういう連続独演みたいな真似《まね》で、ついべらべらと喋りまして……。畏《かしこま》りました。では、懇親旅行のときのお話を致しますが、私どもがその旅行に出る前に、会員五名のうち杉田屋と春木屋の番頭が欠席を申し出て参りました。その事情をお話し致します。煩《わずら》わしいようでも、在りのままにお話し致します。）

杉田屋の番頭は旅行に出る三日前か四日前に、私と高沢が辰巳屋で飲んでいるところへやって来て、やっこさんの色女が急性盲腸炎になったから行けなくなったと言うのでございます。みんなガマ連れで出かけるのに、自分ひとりがピンコロでは気がひける。みんなも気拙《きまず》いだろう。残念だけれども今度ばかりは止《よ》しておく。そういう口上なんで、高沢と私が二人で根掘り葉掘り聞きますと、やっこさんの色が、やっこさんの女房に無記名投書で大体の事情を暴露したことがわかりました。やっこさん、その手紙をポケットから出して見せました。達筆な女文字で、こんなような意味の文面でした。代筆でなくって本人の筆跡だと申します。

「このたび杉田屋の番頭は、四人の同業者と共に、愛妾《あいしょう》を連れて甲州旅行に出るそうな。しかるに杉田屋の番頭は今日まで情婦を持っていなかった。そこは彼の家庭愛に立脚する精神によるものだと認めるが、彼は四人の仲間に義理だてして、某新聞に『付添婦人を求む』という広告を出した。吾人《ごじん》は風のたよりにその噂を聞いた。およそ人間、持つべきものは友達である。朱に交われば赤くなる。吾人は第三者としてこれを見るに、いかに友人に対する義理とはいえ、杉田屋の番頭が新聞広告を出したことは、現代における風潮の一つの特徴として嘆かわしいことだと痛感させられる。吾人は戦前の醇風《じゅんぷう》美俗がなつかしい。以上、念のために細君の耳に入れておく」

申すまでもなく、私たちは嘆かわしい風潮のなかの、嘆かわしい存在なのでありま す。しかし、よくも抜け抜けとこんな文面の投書を書けたものだと、驚かざるを得ぬ次第でした。いかにその女が急性盲腸で旅行に行けなくても、こんなに手のこんだ真似をして見せなくってもいい筈《はず》です。

しかし高沢は、苦笑しながらその手紙を杉田屋に返しまして、

「お前の色は、ずいぶん世相を痛憤しているね。筆跡で見ると、戦後にガリ版を切ったことのある女だな。育ちがいいつもりの女だろう。採用試験の面接のとき、俺もお前さんのあの女は育ちがいいと見てとったよ。可愛《かわい》がってやることだね」

と、「江の島」をやった番頭の貫禄《かんろく》を見せました。

杉田屋の番頭は、タオルをしぼるようにハンカチをひねりながら、

「俺だって胸くそが悪いんだ。しかしね。あの女には俺も相当に元手をかけたから、わかれにくいんだ。戦争直後、俺の黄金時代に可成りの元手をかけたからね」

そしてズボンのポケットに手紙をねじこみました。

お互に気拙いったらありゃあしない。後から聞くと、急性盲腸炎を起したというのも全くの嘘《うそ》だったそうで、女は旅行に着て行く夏の衣裳《いしょう》を買ってもらえなかったので、嫌がらせをしたまでだということでした。

戦争直後のころ、杉田屋の番頭は疎開《そかい》先の地方事務所に出入りして、軍需品の皮革を買い占めるお手伝いをして俄大尽《にわかだいじん》になっていたと申します。東京に転入当時の頃が黄金時代というわけで、その頃は飛ぶ鳥も落す勢い、竹の皮に小便、ぱりぱりでした。

ところが、駅前あたりの旅館を一つ買うとか買いたいとかいっているうちに、元の木《もく》阿弥《あみ》で杉田屋の番頭におさまったんでございます。やっこさん、ぱりぱりの時代に女

に入れあげたんで、自分の注ぎこんだお銭《あし》に未練が残ってわかれ難いんだね。この伝で行くと、男が女に貢《みつ》がすと如何《いか》なることになるんだろう。男が逃げても女が追いかけて来るか。先《ま》ず、純粋理論と致しまして長考を要するところでございます。

旅行を取消したもう一人は、春木屋の番頭でございます。これは出発の前日に、やはり私と高沢が辰巳《たつみ》屋で飲んでいるところへやって来て、

「俺は言うが、旅行なんか止した。いま俺は大事な瀬戸際《ぎわ》だ。旅行なんて、それどころじゃねえ」

と、頭ごなしのように申すのでございます。不断、この男は悠然とした恰好《かっこう》をするのが得《え》手《て》な男でして、そのくせ絶えず頭を緻密《ちみつ》に働かして、臨機応変の才覚もあるし、珠算の達人で、宿屋の番頭としては申しぶんがない。それがまた、どうして殺気だっているのかと申しますと、たったいま一時間ほど前に、やっこさんが板前と取組みあいの喧嘩《けんか》をしたとのことでした。

「うちの板前は、宿屋の飯を食ってるくせに、荷揚げということもわからねえ。俺がお客を、ちょろまかしたなんて吐《ぬ》かしやがる。それも、旦那《だんな》にこっそり告げ口をする。とうとう取組みあいの喧嘩だよ」

見るからに苛立《いらだ》っている様子でした。

春木屋の板前は、九州の出身で年は若いが河豚《ふぐ》料理も出来るんで、つい最近、春木屋の旦那が池の端の斡旋所《あっせんじょ》に申込んで呼んだのです。しかし戦後の九州で修業して、大阪の料理屋で二年ばかし磨きをかけ、東京に来てからまだ間もない板前です。旅館の在来からのしきたりなど知るわけがございません。

荷揚げというのは、宿屋の番頭の手間賃といったら宜しいでしょう。たとえば、柊《くき》元《もと》旅館の番頭である私が、お泊りのかたまりのお客に、こう申したと致します。

「みなさん、明朝は熱海へお泊りと伺いましたが、熱海には、私どもと親戚《しんせき》同様にしている何々という旅館がございまして、サービスの点からは、もう本当に親切にお世話いたしている旅館でございます。見晴らしも満点、浴室の設備も満点、お座敷も必ずお気に召すと存じます。できましたら、是非ともその旅館を御利用願いたいもので」

この口上で、かたまりの連中が、「それじゃあ、そこを紹介してくれ」というようなことになると、番頭の私がこう申します。

「喜んで御紹介いたします。では、まことに恐れ入りますが、決して皆様をお疑いするというような、毛頭、そんな失礼なわけではございませんが、前もって一応この契約書に御一筆お願い致します」

そこで契約を取ると、

「まことに恐れ入りますが、それでは先方へ、部屋を明けておくように申し送り致しますから、御契約金として幾ら幾ら頂戴《ちょうだい》いたしとうございます。無論、その代金は先方で御会計から差引勘定いたします」

そういうことで、かたまりが呉《く》れるお金を私が貰《もら》ってしまいます。これがみんな番頭のふところに入るんで、先方の宿屋にしても、いちいち私に宛《あ》て、やれ書留だ何だ彼《か》だと、面倒なことをしてお金を送って来る手間が省けることになる。これを荷揚げと申します。つまり先方の宿屋の契約金を、こちらの宿屋の番頭が受取って、その金を私ならば飲代《のみしろ》にする。また杉田屋の番頭ならば、その金で競輪の車券を買いに行く。これが荷揚げでございます。

ところが、春木屋の番頭の言うことに、宿屋の飯を食っている板前が荷揚げを知らないという法がない。その板前は女ぐせが悪くって、十一人の女中のうち気の強い三人の女中に手をつけたので、その三人が巴《ともえ》となっていがみあう。ときにはお座敷で酒を飲まされた勢いで、いがみあいの女中同士、髪の毛を摑《つか》んで引きむしるほどの喧嘩をする。まことに深刻だ。番頭としては黙っていられない。それで一ばん気の荒い女に暇を取らせたところ、板前が根に持って、その四五日前のこと、板前の書いた献立表に番頭が口を出したのを、今さら気にくわないと蒸返して食ってかかった。

「いや、俺が悪かった。番頭が献立に口出しする法はなかった。とにかく、宿泊料と睨《にら》みあわせて調子よくやってくれ」

そう言って謝ったが、実は板前のやつ、自分の気に入っている女中の花番《はなばん》には、おまけの御馳走《ごちそう》をつけた膳《ぜん》をお客のところへ持って行かす。だから、あるときのごとき、おせっかいのお客がこう言った。

「番頭さん、つかぬことを言うようだが、おとしさんという女中は、板前と出来ているんだろう。私はそう見たよ。先月、ここに泊ったときには、おかねさんという女中の番だったがね。今度、同じ部屋に同じ料金で泊って、おとしさんの持って来たお膳には、刺身皿にマグロの切身が十一枚もあった。おかねさんのときには七枚だった。厚さは同じだよ。それに今度は、トロロのなかに鶉《うずら》の卵が二つ入ってた。おかねさんのときは、一つしか入ってなかったよ。板前はまだ若いんだろう」

お客にまで見抜かれてしまったとは情ないが、こんなのは、どこの旅館でもありがちなことだから、番頭は黙って成り行きを見ていることにした。ところが今度は、荷揚げのことを女中から聞き齧《かじ》って、お客をちょろまかしたと旦那に告げ口する始末である。旦那は番頭に大して難しい顔は見せなかったが、番頭としては板前に対して黙ってはいられない。一方、板前に耳打ちした女中も宜《よろ》しくない。せんだって奉公して来たばかりの、宿屋のことは何も知らない小娘のくせに、板前の御機嫌を買うつもりで余計な口をきいたのだ。

しかし春木屋の番頭は念のために、荷揚げということについて、云々云々《これこれしかじか》と板前に説明してやった。すると板前が、せせら笑いをしながら相変らず玉ねぎの皮をむいていた。それで、この野郎まだわからねえかと、力まかせに板前を撲《なぐ》りつけた。やっこさん、ものの見事にすっ飛んじゃった。ところが、しぶとい野郎で、起きて来るなり番頭に組みついて来た。それを突きとばして、番頭が拳闘《けんとう》の構えの真似をして見せてやると、板前のやつ、さっと逃げ出して、跣《はだし》のまま外に飛び出して行った。なに、番頭の野郎だって拳闘なんか知ってやしないんだ。

「ともかく今晩じゅうに、板前を降参させなくっちゃあ、明日の朝の客膳に差支えるからね。もし板前がこのまま出て行く気なら、斡旋所から今晩じゅうにも他の板前を連れて来なくっちゃあ間にあわねえ。今日は、団体が一と組と、かたまりが二た組あるからね」

春木屋の番頭はそう申すんでございます。ついては、旅行になんか出られないというのも尤《もっと》もなことでした。やっこさん、番頭の勤めとして斡旋所と打ちあわせをしておくために、そそくさ辰巳屋から帰って行きました。

話のついでに申しますが、斡旋所のことは板前の会といって、これは労働大臣の許可している会でございます。この会から板前を各旅館に世話して送ってよこします。この駅前あたりでは、池の端に上又《じょうまた》という会がありまして、そこの会長の取りはからいで、どこそこの旅館にはどんな板前が向くと見当つけて送ってよこします。それは鮨《すし》屋の職人や、蕎麦《そば》屋の出前持なども同じことなんで、戦前には失職中の鮨屋の職人は斡旋所に住込んで養われている制度になっておりました。今日ではそれが住込だけは許可されておりません。斡旋料は鮨屋の職人の場合は給料の二割です。ほかに毎月二百円ずつ、職人と鮨屋の主人から会長に納める規則でございます。

その代りに、会長たるもの聊《いささ》か責任が重い。蕎麦屋の出前持なんか、頭に丼《どんぶり》を載せて自転車で走るんで、もし縮尻《しくじ》って丼を毀《こわ》したら損害は半分弁償だ。それが度重なると会長の信用にもかかわるんで、会長が出前持の腕を試験した上で送ってよこします。だから開店早々の蕎麦屋でも出前持は物なれていて、お盆を三重ね四重ね頭に載せまして、「今日はァ」と景気よくやって来て、「まいど有難うございます」と甚だ調子がいい。給料も悪くない。先ず、丼を頭に載せて自転車を走らす出前持は、月給三万円以上と見て宜しいのでございます。

出前持、鮨屋の職人、板前、いずれも年期を要する技術者だから古風な気質《かたぎ》がございます。ことに板前というのは師匠と弟子の関係でしばられて、料理人気質というやつが濃厚です。ひところ春木屋にいたやつなんか、ろくすっぽ主人の朝飯もつくらずにヴァイオリンなんか弾きやがって、自分の師匠がちょっと春木屋に寄ると大した御馳走を出していた。純日本犬みたいな気質と言ったら当人は喜ぶかしらんが、いかにも狭い枠のなかのけちな人間だ。

しかし一人前の板前となるまでには、相当な年期を入れなくっちゃいけないのが本当だ。はじめは洗方といって皿洗いをさせられる。次に、焼方、煮方、本板と四つの段階がある。正しくは、板前というのは本板のことなんで、大温泉場の一流旅館の板前になるてえと、威張っていやがって、見ているだけでも凄《すご》いもんだ。弟子の板前が吸物のお椀《わん》を盆に載せておそるおそる差出すと、ちょっと一とくち味を見るだけで、なんにも言わずにふんぞり返っている。

私、こんな手合で中気のけがあるやつを知っておりますが、それは然《しか》るべき温泉地の然るべき宿の本板でございます。でも中気だから甘い辛いの味がわからない。天ぷらやビフテキをつくるのは上手だが、吸物の味なんかさっぱりわからねえ。それでも、弟子の板前が純日本犬の流儀でもって、前々からの通りに吸物のお椀をおそるおそる差出して本板の顔を立てている。その旅館の主人は、それが女中などに対して風教上まことに宜しいという建前で、行く行くは中気の本板をそこの名物にしてみせると言っているそうだ。これには何か因縁があるかもしれないね。でも、その温泉旅館の主人、さすがは企業家でございます。

またしても道草で恐縮です。

旅行の当日は、天気晴朗。私と辰巳屋のおかみさん、水無瀬《みなせ》ホテルの高沢と洗濯屋の後家、それから房総屋の番頭と待合の女中、この取合せで出かけました。行く先は甲州、待合せるのが本郷の喫茶店。しかし洗濯屋の後家が時間に後れたので、一同、本郷から新宿駅に向けてタクシーで急ぎました。前の車に私と高沢と洗濯屋の後家、後につづく車に房総屋と待合の女中と辰巳屋のおかみの三人でした。洗濯屋の後家は、自分のせいで出発の時間が後れたので、腕時計を幾度も見たりして高沢に気をつかっている風でした。高沢もまたそれを気にしている風で、車内の吸殻入れの蓋《ふた》をあけていました。

運転手に声をかけました。

「おい運転手さん。君は、昨日の晩から今朝にかけて、もう十時間ぐらいも走ったろう。郊外の方へも走ったね」

「お客さん、よくおわかりですね。ちょうど、そのくらいです。夜明け前に国分寺まで客を送って、国分寺から関前町の方へ客を送りました。お客さん、炯眼《けいがん》ですね」

「ここの吸殻の分量と、吸殻の長短を見れば、ちゃんとわかるんだ。俺は警察の者だがね、ぐっと見ればわかるんだ。大丈夫だよ、もっと急いでくれないか。スピード出してくれ」

またしても高沢の嘘《うそ》っぱちですが、車の方では柔順に速度を出して前の車を抜きました。

「多年の修練というやつだ。勘というよりも修練だよ。しかし本庁の捜査課には、吸殻の口もとのつぶれかたを見て、それを棄《す》てた犯人の挙措動作を判断できるやつがいる。本居君や折口君なんざあ、そのエキスパートの最たるものさ」

高沢は誰にともつかず、満足そうにそんなことを言うのでございます。

私、警視庁の捜査課の人は存じておりません。しかし、本居君とか折口君とかいう
「本居君も、一時は華々しく活躍したものだ。しかし、このごろは考証的になって、象牙《ぞうげ》の塔に立てこもっている弊が多分にある。警察官が学位をねらうなんて、権力の上に何かを加えようとする一種の堕落だね」

またしても、高沢の独白でした。

いつか私、柊元旅館の常連の与田さんというお客さんを辰巳屋へ案内して、そのとき高沢も飲みに来ていましたが、後で与田さんが、あの高沢という番頭は空想性虚言症の患者と紙一重の差だと仰有《おつしや》ったことがございました。あの性格が極端になって行くどんづまりは、コルサコフ氏病というのだそうでございます。尤も、与田さんという客は医学の造詣《ぞうけい》なんか無い人でして、これまた当てずっぽを仰有ったのかもしれません。高沢の駄法螺《だぼら》が病気のせいだということになると、当人としては駄法螺がサーヴィスであり自慢の賑《にぎ》やかしであるだけに、やっこさん浮ぶ瀬もないわけでございます。

新宿駅に駈《か》けつけると、汽車がもう出て行ったあとでございました。で、次の汽車に乗ることにして出札口のところに行くと、意外にも杉田屋の番頭が私たちを待受けておりました。

「おやお前、一緒に出かけるのかね。女房の方の首尾、どうなんだ。無理しなくたっていいよ」

高沢がそう申しますと、杉田屋の番頭は、私たちの連れの女を憚《はばか》って高沢に耳打ちを致しました。見る見る高沢の顔が顰《しか》め面《つら》になりました。

運の悪いときには悪いもので、杉田屋は房総屋の番頭にも私にも耳打ちしましたが、房総屋の悄気《しょげ》かたは見るも無慚《むざん》なものがありました。

「そうかい、仕様ねえなあ。この旅行、中止にしたって、どうせ俺んところじゃ一と騒動だ」

「しかし、決行するより中止にした方が、まだ幾らか助かるだろう」

房総屋の番頭と高沢は、もう連れの女たちの前もかまわず互に言うのでした。即《すなわ》ち、杉田屋の番頭の色女は、やっこさんの女房にこの旅行の計画を暴露したばかりでなく、高沢の女房にも房総屋の女房にも暴露の投書を出したというのです。それが昨晩のことだから、投書は受取人のところに今日の午後は着く筈《はず》だ。昨晩、杉田屋の番頭は、帳場をしまってから色女のところに出かけたが、いつも女のところに行ったときの癖で、こっそり紙屑籠《かみくずかご》を調べると投書の下書きがあったというのです。

「俺は、つくづくお前さんたちに申しわけがねえ。俺はもう、きっぱりあの女と別れることにした。お前さんたちに誓う。ゲンマンだ、ゲンマンさしてくれ」

杉田屋の番頭は子供みたいに小指を出したんですが、高沢は貫禄《かんろく》を見せて、

「いや、そのゲンマン、お前さんに預けとくよ。そうそう女と別れられるもんじゃねえ。俺と房総屋はすぐ帰って、女房に腹痛で帰ったと嘘を言わなくっちゃならねえ」

と薄ら笑いをしながら言いました。

独身の私だけは緩衝地帯《かんしょう》にいたわけですが、こんなどさくさの際には年増《としま》女というものは疚《やま》しい気を起すものではないのでしょうか。スリルというのを味わってみたいんではないのでしょうか。辰巳《たつみ》屋のおかみは私のそばに寄って来て、こっそり私の手の指先を握りました。私も仲間に対して疚しいとは思いながらも、男冥利《みょうり》、思い入れよろしく握り返してやりまして、ともかく杉田屋の番頭に恰好《かっこう》つけさせるために申しました。

「では杉田屋、こうしたらどうだ。今晩お前さん、みんなを辰巳屋に呼んで一席設けたらどうだ」

「そうさ、火つけ女を色に持った災難と、諦《あきら》めることだ」と高沢も私に賛成して、

「ここにいる男女を、みんな呼ぶことだな。今日の甲府行きは、慰安旅行といったって、生野の野郎の大事な見合旅行だからね。中途半端《はんぱ》じゃ妙なもんだ」

房総屋の番頭もそれには大賛成で、

「よし、俺は今晩、北州《ほくしゅう》を踊るよ。あれに歌わせて踊ってやる」

と、やっこさんの色女を顎《あご》で差すのでした。この男は、（前にも申しました通り）宴会に出席するたびごとに必ず一つ覚えの北州を踊ろうと致します。どんな退屈な宴

会でも、自分が北州を踊ったとなると、今日の会は盛大であったと満足して見せる男でございます。

私は壁のそばに立っておりました。連れの女たちは伝言板の前に集まって、辰巳屋のおかみが欄内に文句を書くのを、他の二人が何やら指図しているようでした。

杉田屋の番頭は、私たちの言いなりに、辰巳屋で一席設ける約束をして引きとって行きました。悄然《しょうぜん》たるその後姿は、いかにも恭順の意を現わしているように見え、昔風の「江の島」の番頭風俗でありながら追剝《おいはぎ》された男のように見えました。白いメリンスの腰巻に、上は白いシャツ、腰巻の下はパッチというミコシパンツ。みんな洗いたてで真白く、昔なら、真夏における最も威勢のいい番頭の風俗です。

高沢と房総屋の番頭は、投書のことが心配だと言って各自に女を連れて急いで帰りました。おそらく、それぞれに女を送りとどけて行く自動車のなかで、うまく因果を含めた上で夜は辰巳屋に来るように言いきかせるんだろうと思われました。

あとは大勢の乗降客の動きまわるなかに、辰巳屋のおかみと私が伝言板の前に残されて、おかみは私に向ってこんな愚痴をこぼしたことでございます。

「杉田屋の番頭さんて人、なんて鼻の下の長い人なんでしょう。自分の女に、仲間のことまで告げ口されて、あたふたここまで駈けつけて、ぺこぺこ仲間に謝って、汗だくだく。ほんとに変な人ね」

伝言板を見ると、「生野次平様、東中野の求心閣で、お待ち致します。お昼飯を差上げたいと思います、辰巳屋」と書いてありました。消すには惜しいような伝言ですが、私はそれを消して「ＯＫ」とばかりに、ボストンバッグを一時預けにして、駅前から辰巳屋と車に乗りました。

求心閣というのは私も知っておりました。よほど以前、松山さんという金づかいの荒い若いお客の用命で、二度まで行ったことがありました。連込宿でなくて大きな構えの、ちゃんとした料理屋です。一度は松山さんの見合のお供で行き、その次には松山さんの自棄《やけ》飲み自棄遊びのお相手を勧めに参りました。

「でもお前さん、下町にいて求心閣を知ってるとは感心だな。誰かに連れてってもらったんだろう。そのとき随分よかったから、思い出したというのだね」

私、そう申したことですが、それを辰巳屋が月並と受取らずに躍起になって弁解したのが嬉《うれ》しゅうございました。さっき伝言板の前で、求心閣というのはのんびりしている料理屋だと、高沢の色女から教わったそうでした。いかにも洗濯屋の後家さんの見立てと頷《うなず》かれました。一方、房総屋の色女の方は、待合の女中だから、自分の勧めている待合に来たらどうかと勧めてくれたそうでした。事情、よくわかりました。

「昼間の待合なんて、案外、爛《ただ》れた気分のものじゃないのかね。爛れたから、歌舞伎《かぶき》座へでも行きましょうなんて、どうも我々、そのがらじゃあねえ」

私は運転手を意識に入れまして、その程度に清潔ぶって見せながら、辰巳屋の膝《ひざ》をこづいて心地よい反応を確かめました。このところ、もし高沢なら、「ねえ運転手君、会社の定年制というのは困ったものだね。俺なんか繰上げ定年の退職手当でもって、昼間から飲みまわってるんだ。しかし、どうせ人間、いずれは灰になるんだからね」と、女の手を握るところでございます。

求心閣では玄関が締っておりました。内玄関から声をかけると、愛想のいい年増女中が現われて、

「折角でございましたが、只今《ただいま》、女中の罷業《ひぎょう》中でございます」と言いました。

そこへ、年若い女中が顔を出して、

「事情は申し上げにくいんですけれど、私たちは一箇月ちかく闘っているんです。間もなく解決がつくと思いますから、お近いうちにまたお願い致します」と言うのです。

するとまた、もう一人の若い女中が顔を出して、

「あら、お姐《ねえ》さん。まあ珍しい、お姐さん、さあどうぞ。かまいません、さあどうぞ私たちの部屋へ」そう言って、ちらりと私を見て何か呑《の》みこんだ風でした。私も永年

の番頭稼業《かぎよう》だから、この女、俺のことをお姐さんの新色《しんいろ》と見做《みな》したなと解ったので、

「私ども、みなさんの罷業の応援に伺いました。及ばずながら、声援するために馳《は》せ参じました。どうか御成功を祈ります」

と、冗談のつもりで挨拶《あいさつ》してやりました。ちょっと高沢の遣《や》り口を真似《まね》てみたわけなんで、すると年増の女中が他愛もなく真に受けて、

「おや、左様でございますか。どうもそれは、お見それ致しました。私、お客さまだとばかり思いまして大変御無礼いたしました。ねえユキちゃん、御案内して。さあどうぞ、おあがりになって、御一服なすって下さいまし」

と、下へも置かない扱いぶりには弱りました。

辰巳屋を「お姐さん」と言った女中は、年増の女中に「もと私が、麻布《あざぶ》にいたころのお姐さんです。いつか話したことあるでしょう」と言って、この簡単な紹介で万事を呑みこませた風でした。一方、辰巳屋のおかみは落着いたもので、

「ねえあなた、どうなさいます。同じ声援なら、お部屋でゆっくり話した方が増しじゃないかしら。ねえ、ちょっとあがって行きましょうよ」

まごまごしている私にそう言って、「ではユキちゃん、案内して。お邪魔するわ」

と、早くも式台の上にあがってしまいました。その調子がいかにも自然で、実際に罷

業を応援に来た一人の婦人のように見えるので、私もその相棒になったと観念いたしました。

私は辰巳屋の後からついて行って、長い廊下をユキという女中に案内されながら、かれこれと思案をめぐらしました。罷業の応援者に化けた上は、頭ごなしに口をきく支配人や番頭なんかの立場で口をきいてはぶち毀《こわ》しだ。

いつか柊元《くきもと》旅館の常連客の与田さんが、宿屋の番頭たるべきものは、ヒューマニズムとやらで女中を扱わなくっちゃいけないんだ。しかしヒューマニズムというやつは、現代ではもう種切れになってしまった。与田さんはそう仰有ってましたが、こちらはそんなものは知らねえから、雇主に刃向う女中のお喋《しゃべ》りを聞くときなんか、そいつの逆上がおさまるまで尤《もっと》もらしく黙って聞いている。これが自分のいつもの遣り口だ。しかし今は、できることなら話を避けるのが上策だと思いました。

私たちの案内された部屋は、鰻《うなぎ》の寝床のように長い部屋で、無理に詰めれば女中の三十人ぐらい寝られる広さです。左右両側に押入の板戸が連なって、その板戸の上段にもずっと天袋がつづいている。南側に明り窓、北側が硝子《ガラス》戸のついた出入口で、そこから庭下駄《げた》で泉水のほとりまで行ける。部屋のなかはほの暗いので、お昼前だというのに一つ電燈《でんとう》がつけてありました。

ユキという女中は、電燈の下に座布団《ざぶとん》をきちんと二つ並べまして、

「このごろは、私たち交替で三人ずつ、ここに宿直しているんです。不断は、十三人ここに泊ります。只今、おしぼりをお持ち致します」

そう言って、私たちが引留めるのに出て行きました。

辰巳屋はハンドバッグのなかから祝儀袋《しゅうぎ》を取出して、手早く紙幣を入れ、

「ねえあなた、何と書いたらいいかしら。そうね、罷業の応援だから、陣中見舞と書いて。あなた、一筆お願いしますわ」

と、万年筆と一緒に私に持たしたので、「陣中見舞、御一同様へ、辰巳屋より」と丁寧に書いてやりました。

「では、俺も包むから、祝儀袋、もう一つあるかね。お前さんの半分ぐらいも包んだらいいだろう」

「駄目よ、そんなことするると、ビールなんか持って来るから、遅くなるわ。飲むところで飲まなくっちゃ、つまんないわ。ねえあなた、こんな場所で言うのは何だけれど、ほんとに不思議な縁ね」

辰巳屋は感じを出しているのではないかと思われました。そこへ、ユキという女中がおしぼりを持って来て、つづいて若い女中がお茶を持って来ました。つづいて年増

女中がビールを持って来る。私はアルコールぶんが駄目だと嘘《うそ》をついて、女たちがお喋りをはじめる先に、

「ちょっと泉水の鯉《こい》を見て来るからね、話がすんだら呼んでくれ」

と、辰巳屋に言って部屋から出て行きました。

ここの女中部屋は、外から見ると長ッ細い物置のような体裁でした。この建物の出入口は、物干場代用になっている小庭を中心に、細長い泉水と、コンクリートの塀と、本館の建物とで取囲まれ、女中たちがこっそり夜遊びに行けないような仕組になっています。明り窓を東側につけないのは、ただ一つ女中たちに朝寝をさせるための思いやりと見えました。

私は子供のとき継母の庇護《ひご》のもとに旅館の女中部屋で育ったので、女中部屋のことには割合に通じているつもりです。同時に、私がこんな根性の人間になったのも、幼いとき女中たちの間で寝起きした影響ではなかったかと思います。昔の旅館の女中は、食生活や給料などの点におきまして、風呂番《ふろばん》、中番《なかばん》などと共に奴隷《どれい》扱いでございまして、休暇は年に二日、盆と正月だけ。これ以外には外出も叶《かな》わず、夜の十時以後は絶対に門外不出でした。たまたま昼間に自分の用で出るときには、裏木戸から身を斜めにしてこそこそ出て行ったものでした。女中は化粧まかりならず、男は布団を頭に載

せて運ぶので、チック、ポマードの類も許されておりませんでした。

昔の女中は劇務に追われ、何の慰安もなかったので、気の合った者同士で何か食べるのを楽しみにしておりました。駄菓子か何かを内証で買って来て、人には見せずに仲よしの間だけで食べている。着物は、着る着ないにかかわらず、いつか見せ合った一つ着物を取出して、同じことを吹聴《ふいちょう》して喜んでいる。田舎に好いた男のある者は、男から来た手紙を繰返して読んでいることもある。料理屋の女中と違って飲む機会が少いので、大の字に引っくり返って寝ることは滅多にないが、たまに酔ったやつは便所にかくれて眠るくらいのもの。何しろ生活というものが重労働のため、お客との肉体関係は少いというよりも殆《ほと》んどございませんでした。もし関係を結ぶとすれば、相手は同じ旅館の中番とか料理番で、この手の結びつきは私も可成り見て参りました。このように人情の出しかたまで如何《いか》にも単純なものですが、花番の争いから勢力争いに進み、党派の争いになって来ると、ことに出戻りや年頃の娘のことだから大変なことに立ち到る。わあわあ泣き喚《わめ》きながら相手の頭の毛を引きむしることもある。

私は幼いときそんな騒動にぶつかると、よく物置の軒下に逃げて行ったものでした。喧嘩《けんか》がおさまるまでの待ち遠しかった気持は今だに忘れない。しかも女中たちは私のことを「坊や坊や」と可愛《かわい》がってくれたので、子供ごころにも女中同士の喧嘩は実に遺りきれないことでした。喧嘩に負けた方の女中が、いきなり私を抱きあげて、「坊や、どっちに味方する」と金切声を出したこともありました。そのときの怖《おそろ》しかったことといったら、息がつまるほどの思いでした。

子供を怯《おび》えさしたら、後年ろくなことはないと、よく世間で申しますが、私は子供のとき女中同士の喧嘩で何十回ともなく怯えさせられて参りました。自分がこの年になって、今だにろくでもないのは、幼時に女中部屋で寝起きさせられたためだと思います。

私、求心閣の泉水の緋鯉《ひごい》の群を見ながら、それを女中になぞらえてそんなことを思い出していたのでございます。そこで、辰巳屋はどうしたろうと引返して、出入口のところから窺《うかが》うと、ほの暗い女中部屋に女が二人いる。着物の柄で見ると一人は辰巳屋で、一人はユキという若い女中である。ユキは、うなだれて泣いている。その肩を、辰巳屋が両手で抱えている。辰巳屋も啜《すす》りあげながら、何やらユキにひそひそ話しかけて慰めているようで、ビール瓶は卓上に置いたままになっている。耳をすましてみると、辰巳屋が「あきらめが肝心よ……あたしだってねえ、でも本当に好きな人は、振向いてもくれないし……でも、しあわせは考え次第……」と途切れ途切れに、利《き》いた風なことを言っている。

「やってる、やってる。いや、べつに異状はない」

そう思って、私は泉水のほとりに引返し、平たい庭石に腰をかけまして、わざと大きな欠伸《あくび》を一つしてやりました。それが本当の大きな欠伸になったので、自分としては実に気持のいい欠伸でありました。

求心閣の本館は、戦前の三倍ほどにも建増しされていて、もとの新館は古びて以前のままの位置にある。私の付添いで、松山さんが見合をしたのは新館の階下の部屋でした。自棄飲み自棄遊びのお相手をしたときには、二階の部屋で夜の十一時ごろから三時ごろまで飲みました。私がまだ駅前の春木屋で中番をしていたころの話です。

松山さんというのは山形県出身の学生で、この人の伯父さんは、町の連隊の兵舎を個人の資力で建築して、軍へ寄付したほどの金満家であったということでした。松山さんのお宅も相当な資産家であったろうと思われます。お金を湯水のように費《つか》う学生でした。はじめ、大学の入学試験に来たとき春木屋に滞在したのがきっかけで、入学してからも悪所へ遊びに行くときには春木屋に来て、必ず中番の私を連れて出かけるのがおきまりでした。吉原なんかでは、宿屋の番頭を連れて行くと、待遇がまた一入《ひとしお》だから若い学生は嬉しくってたまらないのでございます。

はじめ私はこの学生を、ひょっとしたら生れつきの馬鹿《ばか》じゃなかろうかと思っておりました。でも学校の成績は非常に優秀だということでした。ある年の夏季休暇が近づいたころ、私が吉原の勘定書を持って松山さんの下宿へ伺うと、数人の学生が集まって松山さんに英語の講義をしてもらっておりました。松山さんが先生格でした。それで私、勘定書を出すのを躊躇《ちゆうちよ》して、

「旦那《だんな》、御勉強中でございますね。今日は、お手紙を持って参りました」と申しますと、

「試験勉強してるところさ。お前、吉原の勘定書を持って来たんだろう。かまわないからお見せよ、これから一緒に行こう」

と仰有《おつしや》って、明日は英文学の試験だというのに聴講の学生たちを置き去りにして、私の先に立って部屋を出て行くのです。その様子は豪放と申しますか、秀才ぶりを衒《てら》うと申しますか、何とも彼《か》とも無軌道な書生さんでございました。

御当人の話では、俺の兄弟はロシヤの何とかゾフ兄弟という小説のように、のろわれた性格の者の集まりだと仰有っておりました。顔が四角いところへ、つるりとして、一見、三十あまりに老《ふ》けた顔で、ひどい山形訛《なま》りでございました。のろわれた性格でなくっても女に好かれない。御当人も、俺は女に好かれないんだ、女の前では遠慮ばかりしているが好かれないいんだと、よく嘆いておいでになりました。そのくせ酒の席

になりますと、山形訛りで「おお、去れサロメ……」という声色と、「ああ、一体どこなんだ、どこへ行ってしまったんだ、俺の過去は……」という外国芝居の声色をつかうのが御自慢でした。どちらも長い台詞《せりふ》でして、私、たびたびそれを拝聴しましたが、「おお、去れサロメ……」の方は、「ソドムの園の黒葡萄《ぶどう》の瞳《ひとみ》のような、何とか何とか……」と、ちょっと威圧的に聞える声色でございました。吉原の女が好くわけもございません。

酔狂というのでございましょうか。事情を知らなければ、そうとしか思われないことでした。この松山さんが、御自分より五つも年上の女と求心閣で見合なさったのでございます。相手の女は地方の病院に勤めている看護婦で、松山さんの素人《しろうと》下宿の女主人と姉妹だということでした。女主人は後家さんですが看護婦の妹で、見合の席に於《お》きましては、私の見たところ、姉の方の看護婦よりも妹の後家さんの方が遥《はる》かに美しい。喋ることも後家さんの方が気が利いている。と言うよりも、すれっからしで、ざっくばらんな口をきく。姉の方が、日本の衛生思想の貧困について、ぼそぼそ声で喋り出す。すると妹の方が、「そんなこと言って、だから姉さん、いつだって見合を縮尻《しくじ》るのよ」と、人前もかまわず窘《たしな》める。そういったような取合せでございました。

ところが、見合がすんでからの帰り道で、松山さんはあの看護婦と結婚することにしたと言って私をびっくりさせました。

「お止《よ》しになったらいかがです。お止しなさい。同じ酔狂にしても、下宿のおかみの方が、なんぼか増しでございます。私は付添人として、あくまでも御破算になさいますよう、お願い致します」

じれったいほどの気持からそう申しました。でも松山さんは「二三日うちに、お前に電話をかけるからね」と仰有ったきり、横町に逸《そ》れて行ってしまいました。

それから一週間ばかりして、松山さんから「いま求心閣で飲んでるから、帳場がしまったら飲みにおいで」という電話でした。学生だが一人前の男の口上です。ともかく御贔屓《ごひいき》筋のことだから、本帳さんに言って夜の十時すぎに出かけると、新館の二階の座敷で松山さんが女中を相手に飲んでいる。そのそばに、松山さんの素人下宿の後家が、かいまきを着て枕《まくら》もせずに酔いつぶれたように体裁をつくっている。これで事情が呑《の》みこめる。松山さんが何か下宿の後家に因縁をつけられるようなことを仕出かして、いやいやながら後家の姉と世帯を持つ言質《げんしつ》を取られたのだ。

「さきほどはお電話、有難うございました。旦那、いろいろ御苦労のことでございましょう。有難く頂戴《ちょうだい》します」

私は最初の盃《さかずき》を、そういう水くさい挨拶《あいさつ》で頂きました。何しろ当時の私は、（この前にも、いろいろ申しましたように）こすっからいだけの中番野郎でした。松山さんは、私には、「大いに飲め」と言い、女中には「どんどん注げ」と言うのでした。こんなのは利害関係のない間では、飲ます方がもう飲みたくないほど飲んでいる証拠です。あるいは自棄《やけ》を起している証拠です。私は仰《おお》せに従って、どんどん注いでもらって大いに飲みました。三時間あまりも飲みましたでしょう。松山さんは「人力車を三台、すぐ呼んでくれ。それから勘定してくれ」と女中に言って、ふらふらと立って女中と一緒に出て行きました。すると俯伏《うつぶ》せになっていた後家が仰向《あおむ》けに寝返って、

「あたしのこと、このままうっちゃっといて。あたしは一人で帰ります」と、上の空のように言うのです。この女が、松山さんを滅茶苦茶《めちゃくちゃ》の無軌道青年にさせた元凶《げんきょう》に違いない。

部屋のなかが森閑として、雨の降りだしていることがわかりました。階段の方で「ソドムの園の黒葡萄の瞳のような……」と、西洋芝居の声色が聞えたので、私、松山さんの学生帽を持って出て行きました。

人力車は三台来ていましたが、私の差出口で一台を返しました。

「下宿屋の後家なんか、うっちゃっときましょう。もう三時でございますよ」

私が松山さんを俥《くるま》のなかに押しあげると、梶棒《かじぼう》をあげた俥夫《しゃふ》が、松山さんの「善福寺池へ行け。善福寺の、黄色いアヤメの花を見るんだ」と言う声で雨のなかへ駈《か》け出しました。私は、とんでもないことだと別の一台の俥に飛び乗って、松山さんの後を追いながら俥夫の合図のゴム喇叭《ラッパ》を鳴らさせました。雨の降るこの深夜、池のなかのアヤメの花など見えるわけがないのです。しかし案ずるほどのこともなく、合図の喇叭で前の俥が後になり、おとなしく私の俥の後からついて来ました。

松山さんの下宿は高田馬場の近くの仕舞屋《しもたや》ですが、無論、女主人の後家はまだ帰っておりませんでした。ここの同居人は、松山さんのほかに階下に女中が一人、二階に止宿人が二人いる。私は女中に戸をあけてもらって、俥のなかで寝ている松山さんを揺り起して土間に連れこみました。

松山さんは「水を飲んで来る」と言って、割合しゃんとして台所の方に行きました。その間に、私は二階にあがって松山さんの部屋の電気を手さぐりで点《つ》けるやら、万年床の枕元をざっと片づけるやら、雨戸をしめるやらで、まごまごしておりました。ずいぶん手間どったような気がしました。それでも松山さんが二階にあがって来ないので、降りて行ってみると土間にも台所にも姿がない。御不浄かと思ったが、電気がつ

いてない。再び土間を見ると、さっき締めておいた格子《こうし》戸があいている。私は格子口から外をのぞいて、

「旦那。松山さん」と、思わず大きな声を出しました。

「ここにいるよ。よう、ここだよ」

そう言う涙声が、格子口のすぐ外に聞えました。

全く埒《らち》もないことでした。軒燈《けんとう》の明りで見ると、松山さんは土間の外で雨に濡《ぬ》れながら竪樋《たてどい》にしがみつき、その樋の筒に耳を押しつけているのでした。

「さあ旦那、おやすみなさいまし。深夜の雨は、お毒でございますよ」

私が松山さんの腕に手を添えると、それを振りはらって、

「止してくれ。よう、聞えるんだよ。いっさいがっさい、みんな一《ひ》と纏《まと》めに聞えるんだ。人生の内臓の音だ」

と涙声で言うのです。

「酔狂は、お止しなさいよ旦那。それが旦那の、悪い癖ですよ。深夜の雨は、毒だと言っているじゃあございませんか」

私は少しむかついたので、この酔っぱらいの駄々っ子を否応《いやおう》なしに格子戸のなかに連れこみました。あとは寝床に入れて枕元には薬罐《やかん》を置き、階下の女中に「相すみま

せん。「戸締りお願い致します。」と頼んでおく任務を果すだけでした。

でも格子口を出ると、私、試しに外の竪樋に耳を押しつけてみました。雨はそんなに降ってもいないのに、私の耳を当てている樋の筒から、揉《も》み狂う激しい水音が聞えて来て、意外にもそれは実に威力のある水音でした。目を閉じると、次第に無気味なような音になって来るのです。

「しかし、何が人生の臓物だ。思うに、こんな騒々しい水音を、わざわざ聞く馬鹿もないもんだ」

私は茶番狂言のおつきあいは真平だと思いながら、雨のなかを高田馬場の俥宿まで駈けつけました。

松山さんには、もうそれっきりお目にかかりません。どうなすったことでしょう。求心閣に関係したことで、私の懐想は大体そんなものでございます。

さて、辰巳《たつみ》屋はどうしているか、見向きもしない男のことなんか、幾ら繰返して言ったって愚痴になるだけだ。もう辰巳屋は、俺と殆《ほと》ど出来ているも同然ではなかろうか。そう思いながら、女中部屋の出入口に行って見ると、辰巳屋は鏡台の前に立って、伊達《だて》巻《まき》をユキに締めなおしてもらっているところでした。絽《ろ》の朱色の長襦袢《じゆばん》は、特別に染めさしたものに違いない。私は無断でその場へ歩いて行く特権を覚える反面に、その権利を放棄するのは、行使するよりも以上に心の保養になることだと気がつきました。

それは結局、自分には一人の女が欲しいというのと同じことなんでございますが、私は辰巳屋が着物を着て帯を締めるのを窺《うかが》いながら、ちょっと思案をめぐらしておりました。即《すなわ》ち、長野県のO町にいる於菊には、やっこさんの兄が戦地からよこした手紙を送ってやる。それを見たら於菊も昔のことを気にしないですむ筈《はず》だ。私はその手紙を今だに行李《こうり》の底に蔵《しま》っている。それにしても、生野次平というこの俺は、色道にかけて何という雑な男だろう。於菊に会ったときも辰巳屋の前に出たときも、同じ型に嵌《はま》ったことしか言えなかった。同じ無器用な真似《まね》しか出来なかった。生れながらの雑な人間であるにしても、あちらの女こちらの女に同じ真似をしたのが儂《わし》は恥ずかしい。とにかく一つの色恋を封じるには他で浮気をする手もあるようだということがわかったが、我ながら急にぼそぼそしたように見え、他人が見たら、この俺も茶番狂言をしているように見えるんではないだろうか。いや、松山さんのことを思い出したから拙《まず》いんだ。私、そう思ったことでございます。

杉田屋の番頭が辰巳屋で設けた宴会は、可もなく不可もなしというところでした。

水無瀬《みなせ》ホテルの高沢も、房総屋の番頭も、女房に来た投書を首尾よく握りつぶすことが出来たそうでございました。

解　説

河上徹太郎

「駅前旅館」は昭和三十一年九月から翌三十二年九月にかけて「新潮」に連載されたものである。

駅前旅館という存在は、近頃大分影が薄くなったが、それでも地方の中小都市へ行けばその面影が遺《のこ》っている。時には玄関が鍵《かぎ》の手に土間になっていて畳敷であり、隅に帳場があったりする。そして外に番頭の客引が揉手《もみで》をしながら駅から出て来る人に声をかけていたりすると典型的だが、そこまではこの風俗は今遺っていない。

この小説の主人公生野次平は、そういった番頭である。そして物語は彼の独白体で書かれているが、場面は概《おおむ》ね現代即《すなわ》ち戦後の風景で、思い出風に過去が語られるに過ぎない。然《しか》し彼にはれっきとした番頭気質があり、今でもその精神で生きているので、彼の周囲には伝統的な雰囲気が争い難く漂っていて、それが読者を郷愁に似た情緒で包むのである。殊《こと》にそれがよく現れるのは、彼が同じような番頭と作っているグループの雰囲気である。そこには昔ながらの仁義があり、他にはけ口のない憂《う》さばらしがあり、他に社会的保障のない彼等のささやかな厚生手段も講じられるのである。そしてこのグループの雰囲気が、この小説を貫く主潮だということも出来よう。

生野次平は、生れは能登の輪島在だが、母親が事情があって彼を連子にして上京し、上野あたりの駅前旅館に身を寄せ、彼はそこで女中部屋で育ってゆく身分になる。その間母親の朋輩《ほうばい》の女中たちには玩具のように可愛《かわい》がられるのだが、同時によからぬことも教えられる。先《ま》ずそれが彼の一生の生活と意見を決定する訳である。彼は初めそのうちの使い走りをするうち、帳場の下働きである中番《なかばん》をつとめるようになる。

物語が始まる時は既に戦後であって、彼は同じ地区の旅館の本帳場へ坐《すわ》っている。そしてたまたま長野から芸者を三人連れたお客を迎える。その夜遅く風呂《ふろ》にはいっていると、酒に酔ってその四人の男女がドヤドヤはいって来るのだが、その一人にこっそり腕をつねられる。そこからこの女との過去の交渉と、それからのいきさつがかなり詳しく語られるのである。

といっても、次平にはこの小説の本筋の中で本当に女と出来たという状態は起らないのである。彼の相手は先ずこの於菊《おきく》という芸者と、番頭仲間の行きつけの辰巳《たつみ》屋という小料理屋のおかみと、それから強いて挙げれば甲府湯村の温泉旅館のジュコさんという女中くらいなものだが、みな本当に結びつくには至っていない。それでいて彼は、昔客のお伴で吉原通いなどして、遊びの味は十分知っているのである。ここに番頭という稼業《かぎょう》のはしたなさと律儀《りちぎ》さが並存しているといえようし、それが又素人《しろうと》女や友人の身内の女には絶対に手を出さないという不文律と共に、「私は色事にかけても何と雑に出来ている男でしょう」と述懐する一種の卑屈感とが矛盾なく混り合って、この男の風格を形作っているのである。

それでいてこの小説は女っ気が乏しいかといえば、およそその反対である。しかもそれは結局次平という男の助平ったらしさから出ているのであることは、これ又今いったことと矛盾するようで、事実なのである。次平の色好みは、駅前旅館の古畳がじめじめしているように、この小説全体の体温の中に溶け込んでいる。つまりこの小説は、次平という人物によってこの世界を描いたというよりも、この世界の在り方の、しかもそれが時代と共に相を異にしてゆく所がそのテーマなのであって、それが次平という存在を鏡にして写し出されるのである。

元来井伏氏の小説は、この種の古風な小市民生活の裏にある情実や人情を小憎らしいほど鮮明に描き出す所に無類の味があるのだが、この鮮明さはいわゆるリアリズムによるものではなく、いわば現実の急所を擽《くすぐ》ってキャッといってとび上らせるような手口のうまさがある。しかも「多甚古村《たじんこむら》」の駐在巡査、「本日休診」の町医者、「駅前旅館」の番頭のような人種は、職掌上民衆生活の裏面へたち入るもの故《ゆえ》、作者は彼等の「職権を濫用《らんよう》」して自分の目的を達したというべきである。そしてその時普通の作家なら、これらの人種を主人公にし、その眼を通して民衆を見ることになるのだが、井伏氏はこれらの存在そのものをひっくるめて戯画化し、も一つ深い次元で民衆生活を描くので、描写は更に完璧《かんぺき》になるのである。

先に次平の助平ったらしさといったが、これはこの作品全体の色合いとしていうのであって、人間としてこの男の義理堅さというものは、一方はっきり描かれているのである。風呂の中で腕をつねった女にしても、昔吉原で豆女中をしていた頃、根のない疑いをかけられた時に急場を救ってやったからなついているのであって、その後彼女の不器用な媚《こ》びに出合っても汚ならしい手出しをするじゃなし、又彼女が工場の寮長としての女工の団体旅行を引率して来た時も品よくつき合うし、この種の律儀さが却《かえ》ってこの小説の色っぽさを増していることも確かである。

それから副人物の「万年さん」と呼ばれるアルバイトの旅行社員も、同じ番頭仲間の高沢という男も、実に見事である。殊に高沢は、その鮮かさが次平より一段冴《さ》えて描かれているので、そのために次平が一層次平らしく見えるという引立役をつとめている。彼が口から出まかせに芝居気たっぷりなおしゃべりをし出すと、私はしばしば井伏鱒二御当人と酒を置いて歓談している時のようないい気持になるのである。

（一九六〇年十二月、文芸評論家）

解説

池内紀

つい昨日というほどではないが、そんなに遠い昔でもない。「駅前旅館」があった。泊ったことがある人もいるだろう。たとえ泊らないまでも、どこかでたたずまいを目にしたことがあるのではなかろうか。

駅前にかぎらないが、たしかに駅前に多かった。しっかりした日本家屋で、瓦葺《かわらぶき》二階建て。ガラス戸がひろく開けてあって、コンクリートのたたきの一方に下駄箱、片隅にオモトの鉢などが置いてある。正面の大黒柱に大きな振子時計がかかっていて、ゆっくりと時を刻んでいた。

板間が引き戸で仕切ってあって、カレンダーの下に金庫や小机やらが並んでいる。見かけはさほどでなくても奥がやたらに深いのだ。廊下が二度、三度と折れまがり、あちこちに階段が口をあけていて、迷路さながら。猫の額のような中庭ごしに二階の手すりが見え、そこにズラリと手拭いがほしてある——。

井伏鱒二の『駅前旅館』では、ここに出入りする男女のことは克明に述べてあるが、建物のことはほとんど語られていない。主人公が「建築中の柊元《くきもと》旅館の本帳場」に納まったのが戦後三年ばかりたってのこと。小説が「新潮」に連載されたのは、昭和三十一年（一九五六）から翌年にかけてである。まだ駅前につぎつぎとビルが建ち出す前であって、どこであれ似た建物が控えていた。タイトルを見ただけで読者には、あるはっきりとしたイメージが浮かんでくる。ことによると旅先のつれづれに、まさに駅前旅館の一室で『駅前旅館』を読んでいたかもしれないのだ。

以来、半世紀あまり。あらためて井伏鱒二を読み返すと気がつくだろう。とりたてて見ばえのする建物ではなかったが、駅前旅館とは何あろう、一国一城というものであって、そこにはフシギな王国が築かれていた。おのずと宮廷があり、「番頭」という名の侍従長がいる。一国一城を取りしきり、泊り客という王に仕えて、日々生じてくる難問を即座に解決する人物である。この宮廷に唯一特異な点といえば、侍従長が同時に道化を兼ねていたということ。

語り手である柊元旅館の番頭をはじめとして、春木屋の番頭、水無瀬《みなせ》ホテルの番頭、房総屋の番頭、杉田屋の番頭。いずれ劣らぬツワ者であれば、そろって巡行の日ともなると、いで立ちからして華麗である。ためしに少しあげておくと、一人は「弁慶格《ごう》子《し》のニッカーボッカに玉虫色の背広」、つぎの一人は「筒袖《そで》に仕立てた紺無地の結城《ゆうき》に、縮緬《ちりめん》の総しぼりの兵児《へこ》帯をしめ、フランネルの裏をつけた富士絹の股引《ももひき》をはき、みょうが屋の白足袋に、はせ川の駒下駄《こまげた》」とくる。三人目は半ズボンに短靴、ジャンパーをひっかけ折鞄《かばん》をかかえていて、「一見、請負師のような恰好《かつこう》」。いかにもフシギの国の顔役にふさわしい。

　バッタ、キャラ、ガマ連れ、ハグイ玉、ヤヘ、トンフ、チュウジョ、ピンコロ、シキザ、ケタフカイ、ケタオチ……。

　市中にあってべつの秩序をもつ王国であれば独自の言語をもっている。

「イクノホカダチ」

　普通人には何のことだかわからないが、その筋はたちどころに、急ぎの伝達を了解するだろう。

「家の前を通る人を見て、これは泊る客か泊らない客かの区別はつけられます」

　侍従長はわけても目がいい。ひと目で王たちを識別する。

「私ども番頭仲間では、ほかに主ある女を寝取ることは、浮気とは別種の大罪として禁ずる不文律がありまして……」

　レッキとした独立国には、目に見えぬ厳しい掟があって当然だ。また厳しい掟があるとすると、おのずと助け合いの精神もやしなわれている。もし仲間が掟にふれる状況に立たされそうだと、どうするか？　それとなく警告する。婉曲話法にあたる語りの方法であって、他人にはチンプンカンプンだが、当事者には胸にこたえる言葉なのだ。

「今晩のところは飲みに出た方が含みがある。すると、後日の運びを円滑にすることにもなるわけだ。では、涙をお飲みになって、そういうことに致して頂きますかね」

小説『駅前旅館』が世に出たとき、駅前の旅館は現実だった。名の知れた観光地にかぎらず、どの町でも旅行者は玄関を入り、だだっぴろいたたきに立って、正面の大時計を見上げながら声をかけた。世に知られた観光地だと、先方からわれ先に声がかかり、もみ手をした人が満面の笑みをたたえてやってくる。

現実のおおかたが姿を消したいま、井伏鱒二の『駅前旅館』は文学になった。ようやくはじめてその全貌がうかがえる。なんとみごとに、そして委細をつくしてフシギの王国が書きとめてあることだろう。その生態、言語、風土、エチケット、恋愛、謀《たくら》み、財務、立法——。

語り手が周到に用意してある。幼いときに駅前旅館へつれてこられて、女中部屋で成長した。そして走り使いからはじめ、中番《なかばん》を経て帳場をあずかる身となった。いわば「餓鬼のときから旅館の寄生木《やどりぎ》」になってきた人物であって、まさしく報告者にふさわしい。

彼は何であれ承知している。私情にはしらず冷静に語ることができる。一人の賢者というべきだろう。それが証拠に「自分は何ものか」をとことん知っていて、いかなる幻想も抱かない。

「俺は、どうせろくな人間じゃあねえ」

「私どものような擦れっからしの人間でも……」

「私という人間は、どうしてこんなに雑に出来てることか」

賢者であれば、こともなげに道化役も買って出るし、ときには血潮が波うつこともある。そういえばある夜、お風呂で見知らぬ女に二の腕を抓《つね》られた。裸の女の肩や耳朶《たぼ》が目にちらつきだした。ついては思いおこすと、「擦れっからし」の胸に動悸《どうき》がうったことがたしかにあった。十数年ぶりの再会のあと、小料理屋のスタンドに並んですわっていると、膝がぐいぐい押してくる。試みに突いてみると、「じっくりと二つ三つ」突き返してきた。だからといって、いかなる通常の恋愛にももつれこんだりはしない。フシギの王国の掟のなかで、いわず語らずのほのかなイロごとが匂うように進行する。

おもえば井伏鱒二にぴったりの舞台である。この作家はたえず資料、あるいは史料のない世界を通して語ってきた。『漂民宇三郎』では江戸時代の一漂流民をとりあげた。歴史からこぼれた人間であれば、もとより史料といったものはない。ほんのわずかな聞き書きや手録があるだけ。

小説『多甚古村』は昭和十四年（一九三九）の作だが、土佐の海辺を舞台に村の巡査を語り手にして、戦時色の濃くなった時代と世相を書きとめている。「駐在さん」とよばれる巡査は、土地の記憶にはとどまっても、決して歴史にはのこらない。

『駅前旅館』は都会を舞台にした戦後篇である。宿の番頭は世の黒衣《くろこ》であって、しょせんは風俗をかすめるチョイ役のはずだが、そんな端役を通して戦後の時代と日本人をまるごととらえるなんて、井伏鱒二にしかできない芸当にちがいない。

「初め貴方《あなた》様のお話では、『駅前の宿屋風景を知りたい。思い浮ぶままに語ってくれ。くだらないと思ったことでも喋《しゃべ》ってくれ。何も彼《か》も繕《つくろ》わずに話してくれ。芝居や小説のように仕組まなくてもいい。在りのままに話してくれ』との御注文で……」

終わりちかくにチラリと取材源がしのばせてある。この道何十年のベテランに自由に話してもらい、そこから物語をつくっていった。

ここに出てくる番頭たちのしたたかさ、ズルさ、才覚と弁才、知恵と抜け目なさと身の軽さと臨機応変。ソロバンの達人で、いかなる状況でも上手に立ちまわる一方で、素朴なまでのおっチョコちょい。こういった特性は、ほぼそのまま日本人の肖像にあたるのではなかろうか。

駅前旅館がまたニッポン国の縮図といっていいのである。客を迎えては送り出す。何であれ一夜かぎり。戦争に負けたとたんに鬼畜米英が「コンニチハ、アメリカさん」に早変わりした。どの時代であれ過去は水に流して、今日の大勢に順応してきた。そしてむろん、明日は明日の風が吹く。駅前旅館は日本人のモラルを代弁して、その言動の規範的原則を具象化したごとくなのだ。

小説『駅前旅館』が初めてあらわれてから数年後のこと、昭和三十年代の後半、当時私は大学生だった。旅行すると好んで駅前旅館に泊っていた。駅のすぐ前、日通の事務所の隣り、あるいは駅前通りを少し行った先の最初の曲がり角にあった。「駅前旅館」として映画にもなった。コミカルな人間模様をえがくのにうってつけだったせいだろう。森繁久彌や伴淳三郎やフランキー堺といった芸達者が、お手のものの名演技をみせていた。

実際の駅前旅館は映画のように騒々しいものではなかった。古風な玄関の隅に自転車が立てかけてあり、上がりがまちに下駄がきちんとそろえてある。正面の柱時計がチクタクと音を立てていた。何度か声をかけると奥で人のけはいがして、眼鏡を鼻先にずらした当主が、やおらノッソリとあらわれた。

どうしてそんな宿を泊りあるいたのか、われながらよくわからない。障子やふすまごしに隣室の声がつつ抜けで、廊下の足音が耳元にひびいてくる。ひとけがないようだが、きっと相客がいた。いかなる仕事の人なのか、何泊もしている人がいる。真夜中ちかくに帰ってきて、小声でわびながら風呂場に向かった。

「今日は先代さんの命日だね」

宿のことをよくこころえている。

おおかたがビジネスホテル、あるいはシティホテルに駆逐された。あるいは目先をきかして衣更えをした。むろん、こちらのほうが機能的で、快適だし、ゆっくりくつろげる。たしかにそのとおりだが、私にはおりおり駅前旅館が懐かしい。

ふと洩《も》れてくる声で、その人の暮らしや人生を想像した。女性らしい足音を、息を殺して聞いていたこともある。枕の下から柱時計の音がつたわってきた。小説家の才があれば、すぐに一つ、二つ、物語がつくれるような気がした。

おりしも旧来の駅前旅館に秋風が吹きはじめていたころである。旅好きだった井伏鱒二は、自分がさんざお世話になった「物語のふるさと」に返礼を思い立って、『駅前旅館』を書いたのかもしれない。

（二〇〇七年九月、ドイツ文学者・エッセイスト）

この作品は昭和三十二年十一月新潮社より刊行された。

表記について

新潮文庫の文字表記については、原文を尊重するという見地に立ち、次のように方針を定めました。

一、旧仮名づかいで書かれた口語文の作品は、新仮名づかいに改める。
二、文語文の作品は旧仮名づかいのままとする。
三、旧字体で書かれているものは、原則として新字体に改める。
四、難読と思われる語には振り仮名をつける。

なお本作品中、今日の観点からみると差別的ととられかねない表現が散見しますが、作品自体のもつ文学性ならびに芸術性、また著者がすでに故人であるという事情に鑑《かんが》み、原文どおりとしました。

（新潮文庫編集部）

駅《えき》前《まえ》旅《りよ》館《かん》

新潮文庫　い-4-5

昭和三十五年十二月十五日　発行
平成十九年十一月一日　四十七刷改版
令和六年九月二十日　五十六刷

著者　井《い》伏《ぶせ》鱒《ます》二《じ》

発行者　佐藤隆信

発行所　株式会社新潮社

郵便番号　一六二―八七一一
東京都新宿区矢来町七一
電話　編集部(〇三)三二六六―五四四〇
　　　読者係(〇三)三二六六―五一一一
https://www.shinchosha.co.jp

価格はカバーに表示してあります。

乱丁・落丁本は、ご面倒ですが小社読者係宛ご送付ください。送料小社負担にてお取替えいたします。

印刷・株式会社光邦　製本・株式会社植木製本所

ISBN978-4-10-103405-8 C0193